les classiques illustrés Hatier
oeuvres & thèmes
Collection dirigée par **Pol Gaillard, Georges Sylnès**
et **Françoise Rachmuhl**

une oeuvre

L'AIGUILLE CREUSE

MAURICE LEBLANC

un thème

L'ÉNIGME POLICIÈRE

SOPHOCLE, POE, EXBRAYAT, SAN ANTONIO...

présentation de Jacqueline Schwarz

PROFESSEUR AU COLLÈGE ÉMILE-VERHAEREN
A SAINT-CLOUD

ISSN 0184-0851 ISBN 2-218-05654-2

LES AUTEURS ET LES TEXTES

LES GRANDS THÈMES DE RÉFLEXION, D'IMAGINATION ET D'EXPRESSION

Table des illustrations

INTRODUCTION

QUI EST MAURICE LEBLANC ?

Maurice Leblanc est né en 1864 à Rouen ; son père est armateur. Après un séjour de un an en Ecosse, pendant la guerre de 1870, il revient en France faire de solides études.

Son enfance

Les promenades dominicales le mènent à travers le pays de Caux, où il découvre l'« Aiguille creuse » et à Croisset, où il va rencontrer Flaubert et écouter ses histoires merveilleuses. Il fréquentera aussi un autre écrivain, normand comme lui : Guy de Maupassant. Ces deux hommes auront une importante influence sur sa vie et son œuvre.

Les cardes

Il commence sa vie professionnelle dans l'industrie, dans une fabrique de cardes, machines à peigner le drap, mais il passe son temps à écrire dans le grenier de l'usine.

A l'inauguration d'un médaillon de Flaubert, il fera la connaissance d'Émile Zola, d'Octave Mirbeau et d'Edmond de Goncourt. A son retour à Rouen, il demande à son père de le laisser partir pour Paris où il commencera son droit et retrouvera sa sœur, Georgette.

La vie parisienne

Il devient assez rapidement un journaliste très parisien. Il publie sans grand succès un recueil de nouvelles, un roman et fait jouer une pièce. Puis Pierre Laffitte lui commande pour son mensuel *Je sais tout* une nouvelle policière, avec un personnage équivalant à Sherlock Holmes ou à Raffles, cambrioleur amateur.

Arsène Lupin

En 1905, naît Arsène Lopin. Mais Lopin, c'est aussi le nom d'un conseiller de Paris et les protestations officielles vont le transformer en Lupin, gentleman-cambrioleur. Celui-ci devient un personnage très populaire dont on attend chaque mois, avec impatience, les nouvelles aventures.

Avec Lupin, Maurice Leblanc a créé le mythe d'un surhomme, élégant, courtois, victime de la société et voleur pour la bonne cause. Il est si différent de Holmes ! Il est un peu Guignol, rossant le gendarme balourd, Ganimard, fonctionnaire scrupuleux et borné. Le crime chez Lupin devient un jeu où il se substitue à la justice, à laquelle il livre d'ailleurs les coupables. Très vite, Leblanc deviendra captif de son personnage et va devoir le ressusciter à la demande de son public. Plus tard, Leblanc achètera à Etretat une propriété qu'il appellera « Clos Lupin ».

Bien qu'étant un personnage de son temps, évoluant dans des situations historiques précises, Lupin conserve à travers les époques beaucoup d'admirateurs. Il fut interprété au théâtre par André Brûlé, au cinéma par Robert Lamoureux, à la télévision par Georges Descrières.

MAIS D'OU VIENT LE ROMAN POLICIER ?

Quelques chiffres

Qui d'entre vous n'a pas entendu parler d'Hercule Poirot, de Sherlock Holmes ou de Lupin ? Tous ces héros ont pris une telle place, une telle vie, qu'ils ont souvent « survécu à » leur auteur retombé dans l'anonymat.

Cette littérature touche tous les publics, des plus populaires aux plus intellectuels. Sartre n'écrit-il pas : « Je lis plus volontiers la série noire que Wittgenstein[1] » ?

Dans de nombreuses bibliothèques, 30 pour 100 de livres empruntés sont des romans policiers ou d'aventures. Les romans policiers se vendent et se lisent bien : les grandes séries policières tirent à 250 000 exemplaires quand bien des œuvres

1. Philosophe autrichien (1889-1951).

littéraires ont du mal à atteindre 25 000. Les auteurs de romans policiers sont aussi parmi les plus féconds : 80 titres pour Agatha Christie ou Frédéric Dard. Des chiffres parfois à vous couper le souffle : 24 millions de volumes vendus en 10 ans par Jean Bruce et 50 millions par Georges Simenon !

Comment est né le roman policier ?

On pourrait remonter très loin dans l'Antiquité, avec *Œdipe roi*. Mais le véritable essor de ce genre date de la fin du XVIIIe siècle. A cette époque, la lecture devient un loisir. Une foire au roman s'institue même avec la naissance du roman de terreur d'Ann Radcliffe : *Les mystères d'Udolphe* ; des événements effrayants ou mystérieux trouvent à la fin une explication rationnelle. Les émotions fortes, comme la peur, deviennent une sorte de plaisir auquel le public s'habitue.

Vers la fin de la Restauration (1815-1830) la population afflue vers Paris, poussée par la misère. Il ne fait pas bon se promener la nuit dans cette ville infestée de mendiants armés : les Parisiens vivent dans l'angoisse et celle-ci se reflète dans les pièces du théâtre de boulevard qui met en scène le crime.

Face à ces héros criminels, va naître le héros policier Vidocq. Ancien soldat, condamné au bagne, il s'évade, devient indicateur et finira chef de la Sûreté. Sur son modèle, Balzac créera Vautrin, forçat évadé qui se concilie la justice et devient chef de la police ; et Victor Hugo, dans *Les Misérables*, inventera Javert.

Le crime est partout, mais la police aussi, avec cette supériorité : le criminel laisse des traces qui permettront de l'identifier. Au XIXe siècle, le développement scientifique pénètre aussi dans la police et permet l'interprétation des empreintes et des indices.

Cependant, c'est grâce au roman-feuilleton que le roman policier deviendra populaire. Les lecteurs prennent l'habitude de suivre dans leurs journaux favoris des épisodes au rythme haletant qui tiennent leur curiosité en haleine jusqu'au dénouement. Un phénomène comparable se déroule en Angleterre et en Amérique.

PREMIÈRE PARTIE

L'AIGUILLE CREUSE

1. LE COUP DE FEU

Ce premier extrait présente le début du roman.

Raymonde prêta l'oreille. De nouveau et par deux fois le bruit se fit entendre, assez net pour qu'on pût le détacher de tous les bruits confus qui formaient le grand silence nocturne, mais si faible qu'elle n'aurait su dire s'il était proche ou lointain, s'il se
5 produisait entre les murs du vaste château, ou dehors, parmi les retraites ténébreuses du parc.

Doucement elle se leva. Sa fenêtre était entrouverte, elle en écarta les battants. La clarté de la lune reposait sur un calme paysage de pelouses et de bosquets où les ruines éparses de
10 l'ancienne abbaye se découpaient en silhouettes tragiques, colonnes tronquées[1], ogives[2] incomplètes, ébauches de portiques[2] et lambeaux d'arcs-boutants[2]. Un peu d'air flottait à la surface des choses, glissant à travers les rameaux nus et immobiles des arbres, mais agitant les petites feuilles naissantes
15 des massifs.

Et soudain, le même bruit... C'était vers sa gauche et au-dessous de l'étage qu'elle habitait, par conséquent dans les salons qui occupaient l'aile occidentale du château.

Bien que vaillante et forte, la jeune fille sentit l'angoisse de la
20 peur. Elle passa ses vêtements de nuit et prit les allumettes.

« Raymonde... Raymonde... »

Une voix faible comme un souffle l'appelait de la chambre voisine dont la porte n'avait pas été fermée. Elle s'y rendait à tâtons, lorsque Suzanne, sa cousine, sortit de cette chambre et
25 s'effondra dans ses bras.

« Raymonde... c'est toi ?... tu as entendu ?... » [...]

Elles hésitaient, ne sachant à quoi se résoudre. Appeler ? Crier au secours ? Elles n'osaient, tellement le bruit même de

---

1. Tronquées : colonnes ayant perdu leur partie supérieure.
2. Éléments d'architecture.

leur voix leur semblait redoutable. Mais Suzanne qui s'était approchée de la fenêtre étouffa un cri.

« Regarde... un homme près du bassin. »

Un homme en effet s'éloignait d'un pas rapide. Il portait sous le bras un objet d'assez grandes dimensions dont elles ne purent discerner la nature, et qui, en ballottant contre sa jambe, contrariait sa marche. Elles le virent qui passait près de l'ancienne chapelle et qui se dirigeait vers une petite porte dont le mur était percé. Cette porte devait être ouverte, car l'homme disparut subitement, et elles n'entendirent point le grincement habituel des gonds.

« Il venait du salon, murmura Suzanne.

- Non, l'escalier et le vestibule l'auraient conduit bien plus à gauche... A moins que... »

Une même idée les secoua. Elles se penchèrent. Au-dessous d'elles, une échelle était dressée contre la façade et s'appuyait au premier étage. Une lueur éclairait le balcon de pierre. Et un autre homme qui portait aussi quelque chose enjamba ce balcon, se laissa glisser le long de l'échelle et s'enfuit par le même chemin.

Suzanne, épouvantée, sans forces, tomba à genoux, balbutiant :

« Appelons !... appelons au secours !...

- Qui viendrait ? ton père... Et s'il y a d'autres hommes et qu'on se jette sur lui ?

- On pourrait avertir les domestiques... ta sonnette communique avec leur étage.

- Oui... oui... peut-être, c'est une idée... Pourvu qu'ils arrivent à temps ! »

Raymonde chercha près de son lit la sonnerie électrique et la pressa du doigt. Un timbre en haut vibra, et elles eurent l'impression que, d'en bas, on avait dû en percevoir le son distinct.

Elles attendirent. Le silence devenait effrayant, et la brise elle-même n'agitait plus les feuilles des arbustes.

« J'ai peur... j'ai peur... », répétait Suzanne.

Et, tout à coup, dans la nuit profonde, au-dessous d'elles, le bruit d'une lutte, un fracas de meubles bousculés, des exclamations, puis, horrible, sinistre, un gémissement rauque, le râle d'un être qu'on égorge...

Raymonde bondit vers la porte. Suzanne s'accrocha désespérément à son bras.

« Non... ne me laisse pas... j'ai peur. »

Raymonde la repoussa et s'élança dans le corridor, bientôt suivie de Suzanne qui chancelait d'un mur à l'autre en poussant des cris. Elle parvint à l'escalier, dégringola de marche en marche, se précipita sur la grande porte du salon et s'arrêta net, clouée au seuil, tandis que Suzanne s'affaissait à ses côtés. En face d'elles, à trois pas, il y avait un homme qui tenait à la main une lanterne. D'un geste, il la dirigea sur les deux jeunes filles, les aveuglant de lumière, regarda longuement leurs visages, puis sans se presser, avec les mouvements les plus calmes du monde, il prit sa casquette, ramassa un chiffon de papier et deux brins de paille, effaça des traces sur le tapis, s'approcha du balcon, se retourna vers les jeunes filles, les salua profondément et disparut.

La première, Suzanne courut au petit boudoir qui séparait le grand salon de la chambre de son père. Mais dès l'entrée, un spectacle affreux la terrifia. A la lueur oblique de la lune on apercevait à terre deux corps inanimés, couchés l'un près de l'autre.

« Père !... père !... c'est toi ?... qu'est-ce que tu as ? » s'écria-t-elle affolée, penchée sur l'un d'eux.

Au bout d'un instant, le comte de Gesvres remua. D'une voix brisée, il dit :

« Ne crains rien... je ne suis pas blessé... Et Daval ? est-ce qu'il vit ? le couteau ?... le couteau ?... »

A ce moment, deux domestiques arrivaient avec des bougies. Raymonde se jeta devant l'autre corps et reconnut Jean Daval, le secrétaire et l'homme de confiance du comte. Sa figure avait déjà la pâleur de la mort.

Alors elle se leva, revint au salon, prit, au milieu d'une panoplie accrochée au mur, un fusil qu'elle savait chargé, et passa sur le balcon. Il n'y avait, certes, pas plus de cinquante à soixante secondes que l'individu avait mis le pied sur la première barre de l'échelle. Il ne pouvait donc être bien loin d'ici, d'autant plus qu'il avait eu la précaution de déplacer l'échelle pour qu'on ne pût s'en servir. Elle l'aperçut bientôt, en effet, qui longeait les débris de l'ancien cloître. Elle épaula, visa tranquillement et fit feu. L'homme tomba.

« Ça y est ! ça y est ! proféra l'un des domestiques, on le tient celui-là. J'y vais.

- Non, Victor, il se relève... descendez l'escalier, et filez sur la petite porte. Il ne peut se sauver que par là. »

Victor se hâta, mais avant même qu'il ne fût dans le parc, l'homme était retombé. Raymonde appela l'autre domestique.

« Albert, vous le voyez là-bas ? près de la grande arcade ?...

- Oui, il rampe dans l'herbe... il est fichu...

- Surveillez-le d'ici.

- Pas moyen qu'il échappe. A droite des ruines, c'est la pelouse découverte...

- Et Victor garde la porte à gauche, dit-elle en reprenant son fusil.

- N'y allez pas, mademoiselle !

- Si, si, dit-elle, l'accent résolu, les gestes saccadés, laissez-moi... il me reste une cartouche... S'il bouge... »

Elle sortit. Un instant après, Albert la vit qui se dirigeait vers les ruines. Il lui cria de la fenêtre :

« Il s'est traîné derrière l'arcade. Je ne le vois plus... attention, mademoiselle... »

Raymonde fit le tour de l'ancien cloître pour couper toute retraite à l'homme, et bientôt Albert la perdit de vue. Au bout de quelques minutes, ne la revoyant pas, il s'inquiéta, et, tout en surveillant les ruines, au lieu de descendre par l'escalier, il s'efforça d'atteindre l'échelle. Quand il y eut réussi, il descendit rapidement et courut droit à l'arcade près de laquelle l'homme lui était apparu pour la dernière fois. Trente pas plus loin, il trouva Raymonde qui cherchait Victor.

« Eh bien ? fit-il.

- Impossible de mettre la main dessus, dit Victor.

- La petite porte ?

- J'en viens... voici la clef.

- Pourtant... il faut bien...

- Oh ! son affaire est sûre... D'ici dix minutes, il est à nous, le bandit. »

Le fermier et son fils, réveillés par le coup de fusil, arrivaient de la ferme dont les bâtiments s'élevaient assez loin sur la droite, mais dans l'enceinte[3] des murs ; ils n'avaient rencontré personne.

« Parbleu, non, fit Albert, le gredin n'a pas pu quitter les ruines... On le dénichera au fond de quelque trou. »

Ils organisèrent une battue méthodique[4], fouillant chaque

---

3. Enceinte : ce qui entoure.
4. Méthodique : selon un ordre donné, d'après un certain raisonnement.

buisson, écartant les lourdes traînes de lierre enroulées autour du fût des colonnes. On s'assura que la chapelle était bien fermée et qu'aucun des vitraux n'était brisé. On contourna le cloître, on visita tous les coins et recoins. Les recherches furent
155 vaines.

Une seule découverte : à l'endroit où l'homme s'était abattu, blessé par Raymonde, on ramassa une casquette de chauffeur, en cuir fauve. Sauf cela, rien.

Observons le texte

1. Les bruits et les silences. Relevez et classez les termes qui appartiennent à ces deux catégories. Vous pourrez faire un tableau.

2. La peur. Montrez comment se développe ce sentiment. Recherchez les mots qui le traduisent. Notez la progression.

3. La recherche. Montrez que toutes les précautions sont prises pour que le fuyard ne puisse pas s'échapper.

4. Comparez les réactions de Suzanne et de Raymonde, leurs attitudes respectives face au danger. Justifiez votre réponse à l'aide d'expressions relevées dans le texte.

Exprimons-nous

1. Il vous est arrivé d'avoir peur. Racontez dans quelles circonstances. Analysez ce que vous avez éprouvé, ce que vous avez pensé.

2. La peur s'accompagne souvent de manifestations physiques : on tremble, on a les jambes molles... Essayez d'en trouver d'autres. Vous pouvez classer les expressions selon la nature grammaticale du mot qui exprime l'émotion : verbes, noms, adjectifs... N'oubliez pas les locutions.

3. Il fait nuit. Par la fenêtre entrouverte vous parviennent des bruits si familiers que vous pouvez les identifier sans peine. Racontez.

4. Les bruits se traduisent aussi par des onomatopées : crac ! boum ! pan ! A vous d'en chercher d'autres. La Bande dessinée peut vous aider. Vous proposerez aussi des bruits pour lesquels vos camarades rechercheront l'onomatopée correspondante.

Documentons-nous

Relevez les termes d'architecture ; essayez d'établir un petit croquis pour chacun d'eux.

2. ISIDORE BEAUTRELET

Cette casquette constitue donc l'unique indice. Permettra-t-elle de découvrir le coupable ? En fait, les choses sont moins simples qu'elles en ont l'air. L'enquête de la police commence à l'arrivée du substitut du procureur et de M. Filleul, juge d'instruction. Le substitut découvre alors qu'il y a deux casquettes identiques et que celle qui leur reste est la fausse : la seule pièce à conviction a disparu. Au même moment, une menace parvient au juge : « Malheur à la demoiselle si elle a tué le patron. »

L'incident causa une certaine émotion.

« A bon entendeur, salut, nous sommes avertis, murmura le substitut.

- Monsieur le comte, reprit le juge d'instruction, je vous
5 supplie de ne pas vous inquiéter. Vous non plus, mesdemoiselles. Cette menace n'a aucune importance, puisque la justice est sur les lieux. Toutes les précautions seront prises. Je réponds de votre sécurité. Quant à vous, messieurs, ajouta-t-il en se tournant vers les deux reporters, je compte sur votre discrétion.
10 C'est grâce à ma complaisance que vous avez assisté à cette enquête, et ce serait mal me récompenser... »

Il s'interrompit, comme si une idée le frappait, regarda les deux jeunes gens tour à tour, et s'approcha de l'un d'eux :

« A quel journal êtes-vous attaché ?
15 - Au *Journal de Rouen.*

- Vous avez une carte d'identité ?

- La voici. »

Le document était en règle. Il n'y avait rien à dire. M. Filleul interpella l'autre reporter.

20 « Et vous, monsieur ?

- Moi ?

- Oui, vous, je vous demande à quelle rédaction vous appartenez.

- Mon Dieu, monsieur le juge d'instruction, j'écris dans
25 plusieurs journaux...

- Votre carte d'identité ?

- Je n'en ai pas.

- Ah ! et comment se fait-il ?...

- Pour qu'un journal vous délivre une carte, il faut y écrire de
30 façon suivie.

- Eh bien ?

- Eh bien, je ne suis que collaborateur occasionnel. J'envoie de droite et de gauche des articles qui sont publiés... ou refusés, selon les circonstances.

35 - En ce cas, votre nom ? vos papiers ?

- Mon nom ne vous apprendrait rien. Quant à mes papiers, je n'en ai pas.

- Vous n'avez pas un papier quelconque faisant foi de votre profession !

40 - Je n'ai pas de profession.

- Mais enfin, monsieur, s'écria le juge avec une certaine brusquerie, vous ne prétendez cependant pas garder l'incognito[1] après vous être introduit ici par ruse, et avoir surpris les secrets de la justice.

45 - Je vous prierai de remarquer, monsieur le juge d'instruction, que vous ne m'avez rien demandé quand je suis venu, et que, par conséquent, je n'avais rien à dire. En outre, il ne m'a pas semblé que l'enquête fût secrète, puisque tout le monde y assistait... même un des coupables. »

50 Il parlait doucement, d'un ton de politesse infinie. C'était un tout jeune homme, très grand et très mince, vêtu d'un pantalon trop court et d'une jaquette trop étroite. Il avait une figure rose de jeune fille, un front large planté de cheveux en brosse et une barbe blonde mal taillée. Ses yeux brillaient d'intelligence. Il ne 55 semblait nullement embarrassé et souriait d'un sourire sympathique où il n'y avait pas trace d'ironie.

M. Filleul l'observait avec une défiance agressive. Les deux gendarmes s'avancèrent. Le jeune homme s'écria gaiement :

« Monsieur le juge d'instruction, il est clair que vous me 60 soupçonnez d'être un des complices. Mais s'il en était ainsi, ne me serais-je point esquivé[2] au bon moment, selon l'exemple de mon camarade ?

- Vous pouviez espérer...

- Tout espoir eût été absurde. Réfléchissez, monsieur le juge 65 d'instruction, et vous conviendrez qu'en bonne logique... »

M. Filleul le regarda droit dans les yeux, et sèchement :

« Assez de plaisanteries ! Votre nom ?

- Isidore Beautrelet.

- Votre profession ?

70 - Élève de rhétorique[3] au lycée Janson-de-Sailly. »

M. Filleul le regarda dans les yeux, et sèchement :

« Que me chantez-vous là ? Élève de rhétorique...

- Au lycée Janson, rue de la Pompe, numéro...

- Ah ! çà, mais, s'exclama M. Filleul, vous vous moquez de
75 moi ! Il ne faudrait pas que ce petit jeu se prolongeât ! [...]

- Mon père habite loin, au fond de la Savoie, et c'est lui-même qui m'a conseillé un petit voyage sur les côtes de la Manche.» [...]

« Et vous êtes content de votre expédition ?

80 - Ravi ! Je n'avais jamais assisté à une affaire de ce genre, et celle-ci ne manque pas d'intérêt.

- Ni de ces complications mystérieuses que vous prisez si fort.

- Et qui sont si passionnantes, monsieur le juge d'instruction ! Je ne connais pas d'émotion plus grande que de voir tous
85 les faits qui sortent de l'ombre, qui se groupent les uns contre les autres, et qui forment peu à peu la vérité probable.

- La vérité probable, comme vous y allez, jeune homme ! Est-ce à dire que vous avez, déjà prête, votre petite solution de l'énigme ?

90 - Oh ! non, repartit Beautrelet en riant... Seulement... il me semble qu'il y a certains points où il n'est pas impossible de se faire une opinion, et d'autres, même, tellement précis, qu'il suffit... de conclure.

- Eh ! mais, cela devient très curieux et je vais enfin savoir
95 quelque chose. Car, je vous le confesse à ma grande honte, je ne sais rien.

- C'est que vous n'avez pas eu le temps de réfléchir, monsieur le juge d'instruction. L'essentiel est de réfléchir. Il est si rare que les faits ne portent pas en eux-mêmes leur explication. N'est-ce
100 pas votre avis ? En tout cas je n'en ai pas constaté d'autres que ceux qui sont consignés au procès-verbal.

- A merveille ! De sorte que si je vous demandais quels furent les objets volés dans ce salon ?

- Je vous répondrais que je les connais.

105 - Bravo ! Monsieur en sait plus long là-dessus que le propriétaire lui-même ! M. de Gesvres a son compte : M. Beautrelet n'a pas le sien. Il lui manque une bibliothèque et une statue grandeur nature que personne n'avait jamais remarquées. Et si je vous demandais le nom du meurtrier ?

110 - Je vous répondrais également que je le connais. »

Il y eut un sursaut chez tous les assistants. Le substitut et le

1. Garder l'incognito : cacher son identité.
2. S'esquiver : s'enfuir.
3. La classe de rhétorique ou la « rhétorique » : ancien nom de la classe de première des lycées.

journaliste se rapprochèrent. M. de Gesvres et les deux jeunes filles écoutaient attentivement, impressionnés par l'assurance tranquille de Beautrelet.

115 « Vous connaissez le nom du meurtrier ?

- Oui.

- Et l'endroit où il se trouve, peut-être ?

- Oui. »

M. Filleul se frotta les mains :

120 « Quelle chance ! Cette capture sera l'honneur de ma carrière. Et vous pouvez, dès maintenant, me faire ces révélations foudroyantes ?

- Dès maintenant, oui... Ou bien, si vous n'y voyez pas d'inconvénient, dans une heure ou deux, lorsque j'aurai assisté

125 jusqu'au bout à l'enquête que vous poursuivez.»

Comprenons le texte

1. Le texte se déroule en deux grandes parties. Lesquelles ? Comment sont-elles reliées ?

2. Le personnage de Beautrelet. Pourquoi ne se nomme-t-il pas tout de suite ? Pourquoi M. Filleul est-il stupéfait en apprenant son identité ?

3. Comment Beautrelet est-il décrit ? Quels sont les traits marquants de son portrait physique ? Essayez de faire un petit dessin le représentant.

4. Il y a chez le procureur un changement d'attitude. Pourquoi ? N'y a-t-il pas dans sa façon de poser les questions une certaine ironie ? Relevez dans le texte les termes qui nous le montrent.

5. Quelle est l'attitude de Beautrelet pendant toute cette scène ? Quels sont les traits marquants de son caractère ?

6. Faites le point sur les indications que Beautrelet déclare être en mesure de donner.

Exprimons-nous

1. Essayez de jouer par groupes de deux la seconde partie de cette scène : l'interrogatoire de Beautrelet par M. Filleul. La classe jugera la meilleure interprétation.

2. Beautrelet raconte la scène à un de ses camarades de Janson.

3. Transposez au style indirect le passage : « A quel journal êtes-vous attaché ?»... « Je n'ai pas de profession. »

3. « QUI DONC A TUÉ JEAN DAVAL ? »

Beautrelet révèle à M. Filleul l'objet du vol : Raymonde et Suzanne ont vu un homme s'enfuir avec un grand paquet alors que M. de Gesvres affirme qu'il ne lui manque rien. Il n'y a plus de mystère pour Beautrelet qui déclare que les quatre tableaux de Rubens du château sont des faux et qu'il y a eu substitution. Après avoir rendu hommage à l'intuition du jeune homme, le juge lui rappelle qu'il avait promis de donner le nom du meurtrier de Jean Daval.

« Qui donc a tué Jean Daval ? Cet homme est-il vivant ? Où se cache-t-il ?

- Il y a un malentendu entre nous, monsieur le juge, ou plutôt un malentendu entre vous et la réalité des faits, et cela depuis le
5 début. Le meurtrier et le fugitif sont deux individus distincts.

- Que dites-vous ? s'exclama M. Filleul. L'homme que M. de Gesvres a vu dans le boudoir et contre lequel il a lutté, l'homme que ces demoiselles ont vu dans le salon et sur lequel Mlle de Saint-Véran a tiré, l'homme qui est tombé dans le parc et que
10 nous cherchons, cet homme-là n'est pas celui qui a tué Jean Daval ?

- Non.

- Avez-vous découvert les traces d'un troisième complice qui aurait disparu avant l'arrivée de ces demoiselles ?
15 - Non.

- Alors je ne comprends plus... Qui donc est le meurtrier de Jean Daval ?

- Jean Daval a été tué par... »

Beautrelet s'interrompit, demeura pensif un instant et reprit :
20 « Mais auparavant il faut que je vous montre le chemin que j'ai suivi pour arriver à la certitude, et les raisons même du meurtre... sans quoi mon accusation vous semblerait monstrueuse... Et elle ne l'est pas... non, elle l'est pas... Il y a un détail qui n'a pas été remarqué et qui cependant a la plus grande
25 importance, c'est que Jean Daval, au moment où il fut frappé, était vêtu de tous ses vêtements, chaussé de ses bottines de marche, bref, habillé comme on l'est en plein jour. Or, le crime a été commis à quatre heures du matin.

- J'ai relevé cette bizarrerie, fit le juge. M. de Gesvres m'a
30 répondu que Daval passait une partie de ses nuits à travailler.
- Les domestiques disent au contraire qu'il se couchait régulièrement de très bonne heure. Mais admettons qu'il fût debout : pourquoi a-t-il défait son lit, de manière à faire croire qu'il était couché ? Et s'il était couché, pourquoi, en entendant
35 du bruit, a-t-il pris la peine de s'habiller des pieds à la tête au lieu de se vêtir sommairement ? J'ai visité sa chambre le premier jour, tandis que vous déjeuniez : ses pantoufles étaient au pied de son lit. Qui l'empêcha de les mettre plutôt que de chausser ses lourdes bottines ferrées ?
40 - Jusqu'ici, je ne vois pas...
- Jusqu'ici, en effet, vous ne pouvez voir que des anomalies. Elles m'ont paru cependant beaucoup plus suspectes quand j'appris que le peintre Charpenais – le copiste des Rubens – avait été présenté au comte par Jean Daval lui-même.
45 - Eh bien ?
- Eh bien, de là à conclure que Jean Daval et Charpenais étaient complices, il n'y a qu'un pas. Ce pas, je l'avais franchi lors de notre conversation.
- Un peu vite, il me semble.
50 - En effet, il fallait une preuve matérielle. Or, j'avais découvert dans la chambre de Daval, sur une des feuilles du sous-main où il écrivait, cette adresse, qui s'y trouve encore d'ailleurs, décalquée à l'envers par le buvard : *Monsieur A.L.N., bureau 45. Paris.* Le lendemain, on découvrit que le télé-
55 gramme envoyé de Saint-Nicolas par le pseudo-chauffeur portait cette même adresse : *A.L.N., bureau 45.* La preuve matérielle existait, Jean Daval correspondait avec la bande qui avait organisé l'enlèvement des tableaux. »
M. Filleul ne souleva aucune objection.
60 « Soit. La complicité est établie. Et vous en concluez ?
- Ceci d'abord, c'est que ce n'est point le fugitif qui a tué Jean Daval, puisque Jean Daval était son complice.
- Alors ?
- Monsieur le juge d'instruction, rappelez-vous la première
65 phrase que prononça M. de Gesvres lorsqu'il se réveilla de son évanouissement. La phrase, rapportée par Mlle de Gesvres, est au procès-verbal : “ Je ne suis pas blessé. Et Daval ?... Est-ce qu'il vit ?... Le couteau ?... ” Et je vous prie de la rapprocher de cette partie de son récit, également consignée au procès-verbal,
70 où M. de Gesvres raconte l'agression : “ L'homme bondit sur

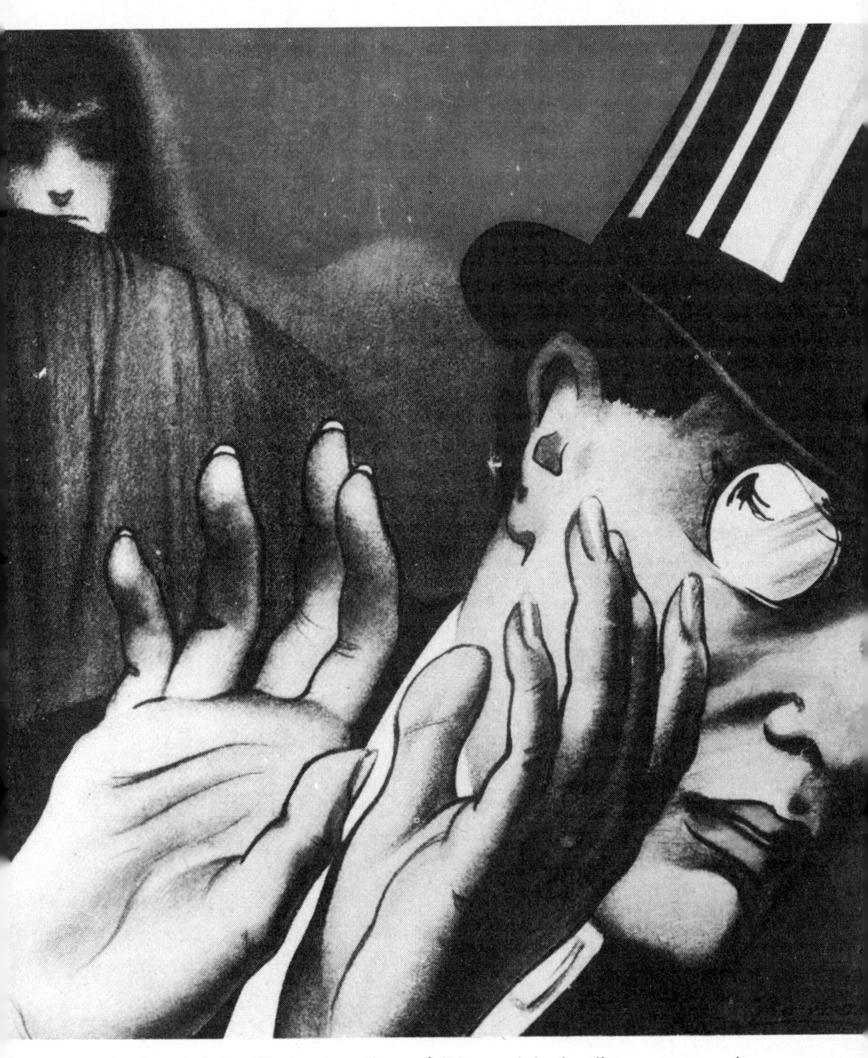

Arsène Lupin. Illustration d'une édition originale d'un ouvrage de Maurice Leblanc.

moi et m'étendit d'un coup de poing à la nuque. " Comment M. de Gesvres, qui était évanoui, pouvait-il savoir en se réveillant que Daval avait été frappé par un couteau ? »

Beautrelet n'attendit point de réponse à sa question. On eût
75 dit qu'il se hâtait pour la faire lui-même et couper court à tout commentaire. Il repartit aussitôt :

« Donc, c'est Jean Daval qui conduit les trois cambrioleurs jusqu'à ce salon. Tandis qu'il s'y trouve avec celui qu'ils appellent leur chef, un bruit se fait entendre dans le boudoir.
80 Daval ouvre la porte. Reconnaissant M. de Gesvres, il se précipite vers lui, armé du couteau. M. de Gesvres réussit à lui arracher ce couteau, l'en frappe, et tombe lui-même frappé d'un coup de poing par cet individu que les deux jeunes filles devaient apercevoir quelques minutes après. »

85 De nouveau, M. Filleul et l'inspecteur se regardèrent. Ganimard hocha la tête d'un air déconcerté. Le juge reprit :

« Monsieur le comte, dois-je croire que cette version est exacte ?... »

M. de Gesvres ne répondit pas.

90 « Voyons, monsieur le comte, votre silence nous permettrait de supposer... » [...]

Le comte avoue connaître la vérité et n'avoir rien dit puisque Daval était mort.

« Continuons, dit M. Filleul, après que le comte se fut retiré.

- Ma foi, dit Beautrelet gaiement, je suis à peu près au bout de mon rouleau.

95 - Mais le fugitif, le blessé ?

- Là-dessus, monsieur le juge d'instruction, vous en savez autant que moi... Vous avez suivi son passage dans l'herbe du cloître... vous savez...

- Oui, je sais... mais, depuis, ils l'ont enlevé, et ce que je
100 voudrais, ce sont des indications sur cette auberge... »

Isidore Beautrelet éclata de rire.

« L'auberge ! L'auberge n'existe pas ! c'est un truc pour dépister la justice, un truc ingénieux puisqu'il a réussi.

- Cependant, le docteur Delattre[1] affirme...

105 - Eh ! justement, s'écria Beautrelet, d'un ton de conviction.

---

1. Le docteur Delattre a été enlevé. A sa libération, il a raconté qu'il avait été conduit auprès d'un malade grave pour l'opérer.

C'est parce que le docteur Delattre affirme qu'il ne faut pas le croire. Comment ! le docteur Delattre n'a voulu donner sur toute son aventure que les détails les plus vagues ! il n'a voulu rien dire qui pût compromettre la sûreté de son client... Et voilà tout à coup qu'il attire l'attention sur une auberge ! Mais soyez certain que, s'il a prononcé ce mot d'auberge, c'est qu'il lui fut imposé. Soyez certain que toute l'histoire qu'il nous a servie lui fut dictée sous peine de représailles terribles. Le docteur a une femme et une fille. Et il les aime trop pour désobéir à des gens dont il a éprouvé la formidable puissance. Et c'est pourquoi il a fourni à vos efforts la plus précise des indications.

- Si précise qu'on ne peut trouver l'auberge.

- Si précise que vous ne cessez pas de la chercher, contre toute vraisemblance, et que vos yeux se sont détournés du seul endroit où l'homme puisse être, de cet endroit mystérieux qu'il n'a pas quitté, qu'il n'a pas pu quitter depuis l'instant où, blessé par Mlle de Saint-Véran, il est parvenu à s'y glisser, comme une bête dans sa tanière.

- Mais où, sacrebleu ?

- Dans les ruines de la vieille abbaye.

- Mais il n'y a plus de ruines ! Quelques pans de mur ! Quelques colonnes !

- C'est là qu'il s'est terré[2], monsieur le juge d'instruction, cria Beautrelet avec force, c'est là qu'il faut borner vos recherches ! c'est là, et pas ailleurs, que vous trouverez Arsène Lupin.

- Arsène Lupin ! » s'exclama M. Filleul en sautant sur ses jambes.

Il y eut un silence un peu solennel, où se prolongèrent les syllabes du nom fameux. Arsène Lupin, le grand aventurier, le roi des cambrioleurs, était-ce possible que ce fût lui l'adversaire vaincu, et cependant invisible, après lequel on s'acharnait en vain depuis plusieurs jours ? Mais Arsène Lupin pris au piège, arrêté, pour un juge d'instruction, c'était l'avancement[3] immédiat, la fortune, la gloire !

Ganimard n'avait pas bronché. Isidore lui dit :

« Vous êtes de mon avis, n'est-ce pas, monsieur l'inspecteur ?

- Parbleu !

- Vous non plus, n'est-ce pas, vous n'avez jamais douté que ce fût lui l'organisateur de cette affaire ?

---

2. Terré : caché soigneusement, en général sous l'effet de la peur.

3. Avancement : progression dans une carrière.

145 - Pas une seconde ! La signature y est. Un coup de Lupin, ça diffère d'un autre coup comme un visage d'un autre visage. Il n'y a qu'à ouvrir les yeux.

- Vous croyez... vous croyez... répétait M. Filleul.

- Si je crois ! s'écria le jeune homme. Tenez, rien que ce petit 150 fait : sous quelles initiales ces gens-là correspondent-ils entre eux ? A.L.N., c'est-à-dire la première lettre du nom d'Arsène, la première et la dernière du nom de Lupin.

- Ah ! fit Ganimard, rien ne vous échappe. Vous êtes un rude type, et le vieux Ganimard met bas les armes[4]. »

155 Beautrelet rougit de plaisir et serra la main que lui tendait l'inspecteur. Les trois hommes s'étaient rapprochés du balcon, et leur regard s'étendait sur le champ des ruines. M. Filleul murmura :

« Alors, il serait là.

160 - *Il est là,* dit Beautrelet, d'une voix sourde. Il est là depuis la minute même où il est tombé. Logiquement et pratiquement, il ne pouvait s'échapper sans être aperçu de Mlle de Saint-Véran et des deux domestiques. »

Réfléchissons

1. Comment Beautrelet tient-il son auditoire en haleine ?

2. Comment Isidore a-t-il découvert l'auteur du crime ? Reprécisez les étapes de sa déduction. Comment, par quels mots, M. Filleul amène-t-il Beautrelet à poursuivre son explication ?

3. Comment le nom d'Arsène Lupin est-il amené ? Cette révélation avait-elle été préparée ? Pourquoi ?

4. Quelles sont les objections de M. Filleul ? Comment Beautrelet les réfute-t-il ? Sur quoi est fondée sa méthode ?

5. Quels sont les sentiments qui animent Beautrelet tout au long de la scène ? Justifiez votre réponse.

6. Précisez les réactions de M. Filleul et de Ganimard au nom de Lupin. Pourquoi sont-elles si différentes ?

7. Relevez les termes qui indiquent la certitude de Beautrelet.

---

4. Mettre bas les armes : cesser de combattre.

« Le jugement dernier » que Rubens a peint entre 1611 et 1614.

Enquêtons

Vous rechercherez d'autres aventures d'Arsène Lupin (voir Compléments pédagogiques). Vous verrez à quel moment et de quelle façon apparaît Lupin et vous comparerez.

Documentons-nous

Arsène Lupin a volé des tableaux de Rubens. Documentez-vous sur ce peintre, son époque, sa vie, son style.

Présentez si possible à la classe des reproductions de ses œuvres. Avec l'aide de vos professeurs d'éducation artistique et d'histoire vous pourrez constituer tout un dossier.

Avez-vous déjà entendu parler de faussaires ? Dans quels domaines agissent-ils ? De quels moyens dispose-t-on de nos jours pour reconnaître un faux ?

4. LE MESSAGE

Les révélations précédentes font de Beautrelet une vedette. Mais il reste encore bien des interrogations. Que sont devenus les tableaux ? Et l'automobile qui était censée les transporter ? Les investigations policières sont vaines et il semble que seul Beautrelet puisse résoudre ces mystères. Mais celui-ci est retourné à ses études. Il promet cependant que le samedi 6 juin il se rendra sur les lieux et que, le dimanche, Lupin sera pris.

Et le 6 juin arriva ; une demi-douzaine de journalistes guettaient Isidore à la gare Saint-Lazare. Deux d'entre eux voulaient l'accompagner dans son voyage. Il les supplia de n'en rien faire.

Il s'en alla donc seul. Son compartiment était vide. Assez fatigué par une série de nuits consacrées au travail, il ne tarda pas à s'endormir d'un lourd sommeil. En rêve, il eut l'impression qu'on s'arrêtait à différentes stations et que des personnes montaient et descendaient. A son réveil, en vue de Rouen, il était encore seul. Mais sur le dossier de la banquette opposée, une large feuille de papier, fixée par une épingle à l'étoffe grise, s'offrait à ses regards. Elle portait ces mots :

Chacun ses affaires. Occupez-vous des vôtres. Sinon tant pis pour vous.

« Parfait ! dit-il en se frottant les mains. Ça va mal dans le camp adverse. Cette menace est aussi stupide que celle du pseudo-chauffeur. Quel style ! on voit bien que ce n'est pas Lupin qui tient la plume. »

On s'engouffrait sous le tunnel qui précède la vieille cité normande. En gare, Isidore fit deux ou trois tours sur le quai pour se dégourdir les jambes. Il se disposait à regagner son compartiment, quand un cri lui échappa. En passant près de la bibliothèque, il avait lu distraitement, à la première page d'une édition spéciale du *Journal de Rouen,* ces quelques lignes dont il percevait soudain l'effrayante signification :

Dernière heure. – *On nous téléphone de Dieppe que, cette nuit, des malfaiteurs ont pénétré dans le château d'Ambrumésy, ont ligoté et bâillonné Mlle de Gesvres, et ont enlevé Mlle de Saint-Véran. Des traces de sang ont été relevées à cinq cents mètres du château, et tout auprès on a retrouvé une écharpe également maculée de sang. Il y a lieu de craindre que la malheureuse jeune fille n'ait été assassinée.*

Jusqu'à Dieppe, Isidore Beautrelet resta immobile. Courbé en deux, les coudes sur les genoux et ses mains plaquées contre sa figure, il réfléchissait. A Dieppe, il loua une auto. Au seuil d'Ambrumésy, il rencontra le juge d'instruction qui lui confirma l'horrible nouvelle.

« Vous ne savez rien de plus ? demanda Beautrelet.

- Rien. J'arrive à l'instant. »

Au même moment le brigadier de gendarmerie s'approchait de M. Filleul et lui remettait un morceau de papier, froissé, déchiqueté, jauni, qu'il venait de ramasser non loin de l'endroit où l'on avait découvert l'écharpe. M. Filleul l'examina, puis le tendit à Isidore Beautrelet en disant :

« Voilà qui ne nous aidera pas beaucoup dans nos recherches. »

Isidore tourna et retourna le morceau de papier. Couvert de chiffres, de points et de signes, il offrait exactement le dessin que nous donnons ci-dessous :

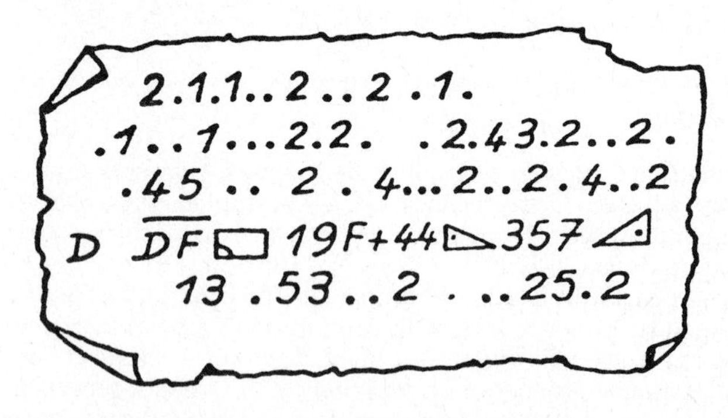

Réfléchissons

1. Quelles sont les réactions de Beautrelet à la lecture de la menace ?

2. L'assassinat de Mlle de Saint-Véran avait-il déjà été prévu ? Est-il vraisemblable ?

Recherchons

1. Pourquoi ne pas essayer d'aider Isidore et de déchiffrer le message ci-dessus ?

2. Le message utilise un code chiffré. En connaissez-vous d'autres ? Qui utilise habituellement ces formes de communications ? La vie quotidienne nous invite à utiliser un certain nombre de codes. Lesquels ? Donnez plusieurs exemples. Pensez aux codes non écrits.

Documentons-nous

Vous pouvez lire le passage du *Scarabée d'or* d'Edgar Poe où Legrand explique comment il a réussi à décrypter le message.

Travaillons en groupes

Vous établirez des messages codés que vous soumettrez à vos camarades. Ils trouveront la solution et le code employé.

5. LE CADAVRE

Le message laisse Beautrelet bien perplexe. Quel rapport peut-il bien y avoir entre ce papier et le vol des Rubens ? Voilà qui complique singulièrement l'affaire et ajoute une nouvelle énigme. Beautrelet poursuit ses recherches concernant les tableaux et la disparition de Lupin. Il a appris que celui-ci vit à Paris depuis un an sous le nom d'Étienne de Vaudreix. Ganimard, l'inspecteur qui s'est rendu sur les lieux, a intercepté une lettre d'un certain Harlington à Lupin qui disait :

Monsieur,

Je vous confirme la réponse que j'ai faite à votre agent. Dès que vous aurez en votre possession les quatre tableaux de M. de Gesvres, expédiez-les par le mode convenu. Vous y joindrez le
5 reste, si vous pouvez réussir, ce dont je doute fort.

Une affaire imprévue m'obligeant à partir, j'arriverai en même temps que cette lettre. Vous me trouverez au Grand-Hôtel.

HARLINGTON

Beautrelet donne rendez-vous au juge d'instruction le lundi matin à 10 heures et promet de lui donner une réponse sur ce qui s'est passé au château d'Ambrumésy depuis deux mois. Malgré la menace qui lui est parvenue, il tient sa promesse.

10 « J'ai promis : je tiendrai. Avant dix minutes, nous saurons... une partie de la vérité.

- Une partie ?

- Oui, à mon sens, la cachette de Lupin, cela ne constitue pas tout le problème. Mais pour la suite, nous verrons.

15 - Monsieur Beautrelet, rien ne m'étonne de votre part. Mais comment avez-vous pu découvrir ?...

- Oh ! tout naturellement. Il y a dans la lettre du sieur Harlington à M. Étienne de Vaudreix, ou plutôt à Lupin...

- La lettre interceptée ?

20 - Oui. Il y a une phrase qui m'a toujours intrigué. C'est celle-

Intérieur de la Sainte-Chapelle à Paris.

ci : "A l'envoi des tableaux, vous joindrez *le reste*, si vous pouvez réussir, ce dont je doute fort."

- En effet, je me souviens.

- Quel était ce reste ? Un objet d'art, une curiosité ? Le
25 château n'offrait rien de précieux que les Rubens et les tapisseries. Des bijoux ? Il y en a fort peu et de valeur médiocre. Alors quoi ? Et, d'autre part, pouvait-on admettre que des gens comme Lupin, d'une habileté aussi prodigieuse, n'eussent pas réussi à joindre à l'envoi *ce reste*, qu'ils avaient évidemment
30 proposé ? Entreprise difficile, c'est probable, exceptionnelle, soit, mais possible, donc certaine, puisque Lupin le voulait.

- Cependant, il a échoué : rien n'a disparu.

- Il n'a pas échoué : quelque chose a disparu.

- Oui, les Rubens... mais...

35 - Les Rubens, et autre chose... quelque chose que l'on a remplacé par une chose identique, comme on a fait pour les Rubens, quelque chose de beaucoup plus extraordinaire, de plus rare et de plus précieux que les Rubens.

- Enfin, quoi ? vous me faite languir. »

40 Tout en marchant à travers les ruines, les deux hommes s'étaient dirigés vers la petite porte et longeaient la Chapelle-Dieu.

Beautrelet s'arrêta.

« Vous voulez le savoir, monsieur le juge d'instruction ?

45 - Si je le veux ! »

Beautrelet avait une canne à la main, un bâton solide et noueux. Brusquement, d'un revers de cette canne, il fit sauter en éclats l'une des statuettes qui ornaient le portail de la chapelle.

50 « Mais vous êtes fou ! clama M. Filleul, hors de lui, et se précipitant vers les morceaux de la statuette. Vous êtes fou ! ce vieux saint était admirable...

- Admirable ! » proféra Isidore en exécutant un moulinet qui jeta bas la Vierge Marie.

55 M. Filleul l'empoigna à bras-le-corps.

« Jeune homme, je ne vous laisserai pas commettre... »

Un roi mage encore voltigea, puis une crèche avec l'Enfant Jésus...

« Un mouvement de plus et je tire. »

60 Le comte de Gesvres était survenu et armait son revolver.

Beautrelet éclata de rire.

« Tirez donc là-dessus, monsieur le comte... tirez là-dessus, comme à la foire. Tenez... ce bonhomme qui porte sa tête à pleines mains. »

Le saint Jean-Baptiste sauta.

« Ah ! fit le comte... en braquant son revolver, une telle profanation !... de pareils chefs-d'œuvre !

- Du toc, monsieur le comte !

- Quoi ? Que dites-vous ? hurla M. Filleul, tout en désarmant le comte.

- Du toc, du carton-pâte !

- Ah ! çà... est-ce possible ?

- Du soufflé ! du vide ! du néant ! »

Le comte se baissa et ramassa un débris de statuette.

« Regardez bien, monsieur le comte... du plâtre ! du plâtre patiné, moisi, verdi comme la pierre ancienne... mais du plâtre, des moulages de plâtre... voilà tout ce qui reste du pur chef-d'œuvre... voilà ce qu'ils ont fait en quelques jours !... voilà ce que le sieur Charpenais, le copiste des Rubens, a préparé, il y a un an. »

A son tour, il saisit le bras de M. Filleul.

« Qu'en pensez-vous, monsieur le juge d'instruction ? Est-ce beau ? est-ce énorme ? gigantesque ? la chapelle enlevée ! Toute une chapelle gothique recueillie pierre par pierre ! Tout un peuple de statuettes, capturé et remplacé par des bonshommes en stuc ! un des plus magnifiques spécimens d'une époque d'art incomparable, confisqué ! La Chapelle-Dieu, enfin, volée ! N'est-ce pas formidable ! Ah ! monsieur le juge d'instruction, quel génie que cet homme !

- Vous vous emballez, monsieur Beautrelet.

- On ne s'emballe jamais trop, monsieur, quand il s'agit de pareils individus. Tout ce qui dépasse la moyenne vaut qu'on l'admire. Et celui-là plane au-dessus de tout. Il y a dans ce vol une richesse de conception, une force, une puissance, une adresse et une désinvolture qui me donnent le frisson.

- Dommage qu'il soit mort, ricana M. Filleul... sans quoi il eût fini par voler les tours de Notre-Dame. »

Isidore haussa les épaules.

« Ne riez pas, monsieur. Même mort, celui-là vous bouleverse.

- Je ne dis pas... monsieur Beautrelet, et j'avoue que ce n'est pas sans une certaine émotion que je m'apprête à le contempler... si toutefois ses camarades n'ont pas fait disparaître son cadavre.

- Et en admettant surtout, remarqua le comte de Gesvres, que ce fut bien lui que blessa ma pauvre nièce.

- Ce fut bien lui, monsieur le comte, affirma Beautrelet, ce fut bien lui qui tomba dans les ruines sous la balle que tira Mlle de Saint-Véran ; ce fut lui qu'elle vit se relever, et qui retomba encore, et qui se traîna vers la grande arcade pour se relever une dernière fois – cela par un miracle dont je vous donnerai l'explication tout à l'heure – et parvenir jusqu'à ce refuge de pierre... qui devait être son tombeau. »

Et de sa canne, il frappa le seuil de la chapelle.

« Hein ? Quoi ? s'écria M. Filleul stupéfait... son tombeau ?... vous croyez que cette impénétrable cachette...

- Elle se trouve ici... là... répéta-t-il.

- Mais nous l'avons fouillée.

- Mal.

- Il n'y a pas de cachette ici, protesta M. de Gesvres. Je connais la chapelle.

- Si, monsieur le comte, il y en a une. Allez à la mairie de Varengeville, où l'on a recueilli tous les papiers qui se trouvaient dans l'ancienne paroisse d'Ambrumésy, et vous apprendrez, par ces papiers datés du XVIIIe siècle, qu'il existait sous la chapelle une crypte. Cette crypte remonte, sans doute, à la chapelle romane, sur l'emplacement de laquelle celle-ci fut construite.

- Mais, comment Lupin aurait-il connu ce détail ? demanda M. Filleul.

- D'une façon fort simple, par les travaux qu'il dut exécuter pour enlever la chapelle.

- Voyons, voyons, monsieur Beautrelet, vous exagérez... Il n'a pas enlevé toute la chapelle. Tenez, aucune de ces pierres d'assise n'a été touchée.

- Evidemment, il n'a moulé et il n'a pris que ce qui avait une valeur artistique, les pierres travaillées, les sculptures, les statuettes, tout le trésor des petites colonnes et des ogives ciselées. Il ne s'est pas occupé de la base même de l'édifice. Les fondations restent.

- Par conséquent, monsieur Beautrelet, Lupin n'a pu pénétrer jusqu'à la crypte. »

A ce moment, M. de Gesvres, qui avait appelé l'un de ses domestiques, revenait avec la clef de la chapelle. Il ouvrit la porte. Les trois hommes entrèrent.

Après un instant d'examen, Beautrelet reprit :

Extérieur de la Sainte-Chapelle dont Saint Louis fit entreprendre la construction en 1246 pour abriter les reliques de la Passion.

« ... Les dalles du sol, comme de raison, ont été respectées. Mais il est facile de se rendre compte que le maître-autel n'est plus qu'un moulage. Or, généralement, l'escalier qui descend
150 aux cryptes s'ouvre devant le maître-autel et passe sous lui.

- Vous en concluez ?

- J'en conclus que c'est en travaillant là que Lupin a trouvé la crypte. »

A l'aide d'une pioche que le comte envoya chercher,
155 Beautrelet attaqua l'autel. Les morceaux de plâtre sautaient de droite et de gauche.

« Fichtre, murmura M. Filleul, j'ai hâte de savoir...

- Moi aussi », dit Beautrelet, dont le visage était pâle d'angoisse.

160 Il précipita ses coups. Et soudain, sa pioche qui, jusqu'ici, n'avait point rencontré de résistance, se heurta à une matière plus dure, et rebondit. On entendit comme un bruit d'éboulement, et ce qui restait de l'autel s'abîma dans le vide à la suite du bloc de pierre que la pioche avait frappé. Beautrelet se pencha.
165 Il fit flamber une allumette et la promena sur le vide :

« L'escalier commence plus en avant que je ne pensais, sous les dalles de l'entrée, presque. J'aperçois les dernières marches.

- Est-ce profond ?

- Trois ou quatre mètres... Les marches sont très hautes... et il
170 en manque.

- Il n'est pas vraisemblable, dit M. Filleul, que pendant la courte absence des trois gendarmes, alors qu'on enlevait Mlle de Saint-Véran, il n'est pas vraisemblable que les complices aient eu le temps d'extraire le cadavre de cette cave... Et puis,
175 pourquoi l'eussent-ils fait, d'ailleurs ? Non, pour moi, il est là. »

Un domestique leur apporta une échelle que Beautrelet introduisit dans l'excavation et qu'il planta, en tâtonnant, parmi les décombres tombés. Puis il en maintint vigoureusement les deux montants.

180 « Voulez-vous descendre, monsieur Filleul ? »

Le juge d'instruction, muni d'une bougie, s'aventura. Le comte de Gesvres le suivit. A son tour Beautrelet posa le pied sur le premier échelon. [...]

Et tout à coup, une main tremblante lui agrippa l'épaule.

185 « Eh bien, quoi ? Qu'y a-t-il ?

- Beautrelet », balbutia M. Filleul.

Il ne pouvait parler, étreint par l'épouvante.

« Voyons, monsieur le juge d'instruction, remettez-vous...

- Beautrelet... il est là...

190 - Hein ?

- Oui... il y avait quelque chose sous la grosse pierre qui s'est détachée de l'autel... j'ai poussé la pierre... et j'ai touché... Oh ! je n'oublierai jamais... »

Comprenons le texte

1. Les coups de théâtre : à deux reprises, Beautrelet provoque la stupéfaction ; précisez à quels moments.

2. Étudiez la façon dont Beautrelet nous apprend que la vraie chapelle a été enlevée. Pourquoi procède-t-il ainsi ? Quelles sont les réactions des autres personnages ?

3. L'admiration de Beautrelet pour Lupin : par quels mots, quels procédés de style est-elle rendue ? Notez la ponctuation.

4. Le personnage de M. Filleul : quels sont ses réactions et ses sentiments tout au long du texte ? Vous relèverez des indications précises.

Recherchons

Vous allez compléter le travail entrepris à propos du premier passage. Relevez les termes d'architecture. Trouvez leur signification exacte. Constituez un dossier d'illustrations ou de croquis de l'architecture gothique.

Regardons autour de nous

Il y a peut-être dans votre ville ou dans les alentours un édifice gothique que vous pourriez visiter. Essayez d'obtenir le plus possible de renseignements sur ses origines, sa construction, ses particularités. Durant la visite vous repérerez les éléments architecturaux dont vous avez déjà parlé.

6. LE PIÈGE

Après avoir trouvé comme prévu un cadavre dans la crypte, M. Filleul apprend l'arrivée de Sholmès, célèbre détective anglais et adversaire redoutable de Lupin. On lui fait part aussi de la découverte d'un second cadavre, identifié comme étant celui de Mlle de Saint-Véran, grâce à une gourmette en or. Cependant, Beautrelet, malgré un troisième avertissement, essaye de déchiffrer le message que nous avons présenté page 26 et qui était sans doute tombé de la poche de Lupin. Après bien des efforts, il réussit à mettre en évidence les mots : demoiselles, aiguille *et* creuse.

A ce moment, Beautrelet fut interrompu. C'était le greffier Brédoux qui ouvrait la porte et qui annonçait l'arrivée subite du procureur général.

M. Filleul se leva.

« Monsieur le procureur général est en bas ?

- Non, monsieur le juge d'instruction. Monsieur le procureur général n'a pas quitté sa voiture. Il ne fait que passer et il vous prie de bien vouloir le rejoindre devant la grille. Il n'a qu'un mot à vous dire.

- Bizarre, murmura M. Filleul. Enfin... nous allons voir. Beautrelet, excusez-moi, je vais et je reviens. »

Il s'en alla. On entendit ses pas qui s'éloignaient. Alors le greffier ferma la porte, tourna la clef et la mit dans sa poche.

« Eh bien, quoi ! s'exclama Beautrelet tout surpris, que faites-vous ? Pourquoi nous enfermer ?

- Ne serons-nous pas mieux pour causer ? » riposta Brédoux.

Beautrelet bondit vers une autre porte qui donnait dans la pièce voisine. Il avait compris. Le complice, c'était Brédoux, le greffier même du juge d'instruction !

Brédoux ricana :

« Ne vous écorchez pas les doigts, mon jeune ami, j'ai aussi la clef de cette porte.

- Reste la fenêtre, cria Beautrelet.

- Trop tard », dit Brédoux qui se campa devant la croisée, le revolver au poing.

Toute retraite était coupée. Il n'y avait plus rien à faire, plus rien qu'à se défendre contre l'ennemi qui se démasquait avec une audace brutale. Isidore, qu'étreignait un sentiment d'angoisse inconnu, se croisa les bras.

« Bien, marmotta le greffier, et maintenant soyons brefs. »

Il tira sa montre.

« Ce brave M. Filleul va cheminer jusqu'à la grille. A la grille personne, bien entendu, pas plus de procureur que sur ma main. Alors il s'en reviendra. Cela nous donne environ quatre minutes. Il m'en faut une pour m'échapper par cette fenêtre, filer par la petite porte des ruines et sauter sur la motocyclette qui m'attend. Reste donc trois minutes. Cela suffit. »

C'était un drôle d'être, contrefait, qui tenait en équilibre sur des jambes très longues et très frêles un buste énorme, rond comme un corps d'araignée et muni de bras immenses. Un visage osseux, un petit front bas, indiquaient l'obstination un peu bornée du personnage.

Beautrelet chancela, les jambes molles. Il dut s'asseoir.

« Parlez. Que voulez-vous ?

- Le papier. Voici trois jours que je le cherche.

- Je ne l'ai pas.

- Tu mens. Quand je suis entré, je t'ai vu le remettre dans ton portefeuille.

- Après ?

- Après ? Tu t'engageras à rester bien sage. Tu nous embêtes. Laisse-nous tranquilles, et occupe-toi de tes affaires. Nous sommes à bout de patience. »

Il s'était avancé, le revolver toujours braqué sur le jeune homme, et il parlait sourdement, en martelant ses syllabes, avec un accent d'une incroyable énergie. L'œil était dur, le sourire cruel. Beautrelet frissonna. C'était la première fois qu'il éprouvait la sensation du danger. Et quel danger ! Il se sentait en face d'un ennemi implacable, d'une force aveugle et irrésistible.

« Et après ? dit-il, la voix étranglée.

- Après ? rien... Tu seras libre... »

Un silence. Brédoux reprit :

« Plus qu'une minute. Il faut te décider. Allons, mon bonhomme, pas de bêtises... Nous sommes les plus forts, toujours et partout... Vite, le papier... »

Isidore ne bronchait pas, livide, terrifié, maître de lui pourtant, et le cerveau lucide, dans la débâcle de ses nerfs. A vingt centimètres de ses yeux, le petit trou noir du revolver s'ouvrait. Le doigt replié pesait visiblement sur la détente. Il suffisait d'un effort encore...

« Le papier, répéta Brédoux... Sinon...

- Le voici ! », dit Beautrelet.

Il tira de sa poche son portefeuille et le tendit au greffier qui s'en empara.

« Parfait ! Nous sommes raisonnable. Décidément, il y a quelque chose à faire avec toi... un peu froussard, mais du bon sens. J'en parlerai aux camarades. Et maintenant, je file. Adieu. »

Il rentra son revolver et tourna l'espagnolette de la fenêtre. Du bruit résonna dans le couloir.

« Adieu, fit-il, de nouveau... il n'est que temps. »

Mais une idée l'arrêta. D'un geste il vérifia le portefeuille.

« Tonnerre..., grinça-t-il, le papier n'y est pas... Tu m'as roulé. »

Il sauta dans la pièce. Deux coups de feu retentirent. Isidore à son tour avait saisi son pistolet et il tirait.

« Raté, mon bonhomme, hurla Brédoux, ta main tremble, tu as peur... »

Ils s'empoignèrent à bras-le-corps et roulèrent sur le parquet. A la porte on frappait à coups redoublés.

Isidore faiblit, tout de suite dominé par son adversaire. C'était la fin. Une main se leva au-dessus de lui, armée d'un couteau et s'abattit. Une violente douleur lui brûla l'épaule. Il lâcha prise.

Il eut l'impression qu'on fouillait dans la poche intérieure de son veston et qu'on saisissait le document. Puis, à travers le voile baissé de ses paupières, il devina l'homme qui franchissait le rebord de la fenêtre...

Les mêmes journaux qui, le lendemain matin, relataient les derniers épisodes survenus au château d'Ambrumésy, le trucage de la chapelle, la découverte du cadavre d'Arsène Lupin et du cadavre de Raymonde, et enfin, le meurtre de Beautrelet par Brédoux, greffier du juge d'instruction, les mêmes journaux annonçaient les deux nouvelles suivantes :

La disparition de Ganimard, et l'enlèvement, en plein jour, au cœur de Londres, alors qu'il allait prendre le train pour Douvres, l'enlèvement d'Herlock Sholmès.

Ainsi donc, la bande de Lupin, un instant désorganisée par

l'extraordinaire ingéniosité d'un gamin de dix-sept ans, reprenait l'offensive, et du premier coup, partout et sur tous les 110 points, demeurait victorieuse. Les deux grands adversaires de Lupin, Sholmès et Ganimard, supprimés. Beautrelet, hors de combat. Plus personne qui fût capable de lutter contre de tels ennemis.

Comprenons le texte

1. Quelles précautions a prises Brédoux ?

2. A quel moment et de quelle manière l'auteur intervient-il ? Quels sont ses sentiments vis-à-vis de ses propres personnages ?

3. Quels éléments du texte nous montrent que Brédoux est un homme dangereux ?

Racontons

M. Filleul tombe dans un piège très simple. Vous avez certainement vu des films ou lu d'autres livres qui relataient le même genre de situation.

Racontez par écrit, en essayant de mettre en évidence l'ingéniosité plus ou moins grande du stratagème employé.

7. FACE A FACE

L'inspecteur Ganimard a disparu. Herlock Sholmès a été enlevé. Pourquoi ? On pense que Beautrelet, remis de ses blessures, pourra répondre à ces questions et donner aussi l'explication du document qui lui a été dérobé. L'auteur, d'ailleurs, lit cela dans son journal qui se fait l'écho de cet espoir, lorsque...

« Cela promet, hein ? Qu'en pensez-vous, mon cher ? »

Je[1] sursautai dans mon fauteuil. Il y avait près de moi sur la chaise voisine quelqu'un que je ne connaissais pas.

Je me levai et cherchai une arme des yeux. Mais comme son attitude semblait tout à fait inoffensive, je me contins et m'approchai de lui.

C'était un homme jeune, au visage énergique, aux longs cheveux blonds, et dont la barbe, un peu fauve de nuance, se divisait en deux pointes courtes. Son costume rappelait le costume sobre d'un prêtre anglais, et toute sa personne, d'ailleurs, avait quelque chose d'austère[2] et de grave qui inspirait le respect.

« Qui êtes-vous ? » lui demandai-je. (...)

L'auteur finit par reconnaître Lupin, bien vivant. Donc le cadavre de la crypte était faux, lui aussi. Lupin annonce qu'il a donné rendez-vous dans l'appartement de l'auteur, et à un coup de sonnette il introduit Beautrelet.

La lutte entre ces deux hommes commençait d'une façon à laquelle je ne comprenais rien. Moi qui avais assisté à la première rencontre de Lupin et de Sholmès[3], dans le café de la gare du Nord, je ne pouvais m'empêcher de me rappeler l'allure hautaine des deux combattants, le choc effrayant de leur orgueil sous la politesse de leurs manières, les rudes coups qu'ils se portaient, leurs feintes, leur arrogance.

Ici, rien de pareil. Lupin, lui, n'avait pas changé. Même tactique et même affabilité narquoise[4]. Mais à quel étrange adversaire il se heurtait ! Était-ce même un adversaire ? Vraiment il n'en avait ni le ton ni l'apparence. Très calme, mais d'un calme réel, qui ne masquait pas l'emportement d'un homme qui se contient, très poli mais sans exagération, souriant mais sans raillerie, il offrait avec Arsène Lupin le plus parfait contraste, si parfait même que Lupin me semblait aussi dérouté que moi.

30 Non, sûrement, Lupin n'avait pas en face de cet adolescent frêle, aux joues roses de jeune fille, aux yeux candides et charmants, non, Lupin n'avait pas son assurance ordinaire. Plusieurs fois, j'observai en lui des traces de gêne. Il hésitait, n'attaquait pas franchement, perdait du temps en phrases 35 doucereuses et en mièvreries[5].

On aurait dit aussi qu'il lui manquait quelque chose. Il avait l'air de chercher, d'attendre. Quoi ? Quel secours ?

On sonna de nouveau. De lui-même, et vivement, il alla ouvrir.

40 Il revint avec une lettre.

« Vous permettez, messieurs ? » nous demanda-t-il.

Il décacheta la lettre. Elle contenait un télégramme. Il le lut.

Ce fut en lui comme une transformation. Son visage s'éclaira, sa taille se redressa, et je vis les veines de son front qui se 45 gonflaient. C'était l'athlète que je retrouvais, le dominateur, sûr de lui, maître des événements et maître des personnes. Il étala le télégramme sur la table, et le frappant d'un coup de poing, s'écria :

« Maintenant, monsieur Beautrelet, à nous deux ! »

50 Beautrelet se mit en posture d'écouter, et Lupin commença, d'une voix mesurée, mais sèche et volontaire :

« Jetons bas les masques, n'est-ce pas, et plus de fadeurs hypocrites[6]. Nous sommes deux ennemis qui savons parfaitement à quoi nous en tenir l'un sur l'autre, c'est en ennemis que nous 55 agissons l'un envers l'autre, et c'est par conséquent en ennemis que nous devons traiter l'un avec l'autre.

- Traiter ? fit Beautrelet surpris.

- Oui, traiter. Je n'ai pas dit ce mot au hasard, et je le répète, quoi qu'il m'en coûte. Et il m'en coûte beaucoup. C'est la 60 première fois que je l'emploie vis-à-vis d'un adversaire. Mais aussi, je vous le dis tout de suite, c'est la dernière fois. Profitez-en. Je ne sortirai d'ici qu'avec une promesse de vous. Sinon, c'est la guerre. »

---

1. L'auteur, Maurice Leblanc.
2. Austère : sévère.
3. Il s'agit de l'ouvrage *Arsène Lupin contre Herlock Sholmès*.
4. Narquoise : moqueuse.
5. Mièvrerie : gentillesse un peu enfantine.
6. Hypocrite : mensongère.

Beautrelet semblait de plus en plus surpris. Il dit gentiment :

65 « Je ne m'attendais pas à cela... vous me parlez si drôlement ! C'est si différent de ce que je croyais !... Oui, je vous imaginais tout autre... Pourquoi de la colère ? des menaces ? Sommes-nous donc ennemis parce que les circonstances nous opposent l'un à l'autre ? Ennemis... pourquoi ? »

70 Lupin parut un peu décontenancé, mais il ricana en se penchant sur le jeune homme :

« Écoutez, mon petit, il ne s'agit pas de choisir ses expressions. Il s'agit d'un fait, d'un fait certain, indiscutable. Celui-ci : depuis dix ans, je ne me suis pas encore heurté à un 75 adversaire de votre force ; avec Ganimard, avec Herlock Sholmès, j'ai joué comme avec des enfants. Avec vous, je suis obligé de me défendre, je dirai plus, de reculer. Oui, à l'heure présente, vous et moi, nous savons très bien que je dois me considérer comme le vaincu. Isidore Beautrelet l'emporte sur 80 Arsène Lupin. Mes plans sont bouleversés. Ce que j'ai tâché de laisser dans l'ombre, vous l'avez mis en pleine lumière. Vous me gênez, vous me barrez le chemin. Eh bien, j'en ai assez... Brédoux vous l'a dit inutilement. Moi, je vous le redis, en insistant pour que vous en teniez compte. J'en ai assez. »

85 Beautrelet hocha la tête.

« Mais, enfin, que voulez-vous ?

- La paix ! chacun chez soi, dans son domaine.

- C'est-à-dire, vous, libre de cambrioler à votre aise, et moi, libre de retourner à mes études.

90 - A vos études... à ce que vous voudrez... cela ne me regarde pas... Mais vous me laisserez la paix... je veux la paix...

- En quoi puis-je la troubler maintenant ? »

Lupin lui saisit la main avec violence.

« Vous le savez bien ! Ne feignez pas de ne pas le savoir. 95 Vous êtes actuellement possesseur d'un secret auquel j'attache la plus haute importance. Ce secret, vous étiez en droit de le deviner, mais vous n'avez aucun titre à le rendre public.

- Êtes-vous sûr que je le connaisse ?

- Vous le connaissez, j'en suis sûr : jour par jour, heure par 100 heure, j'ai suivi la marche de votre pensée et les progrès de votre enquête. A l'instant même où Brédoux vous a frappé, vous alliez tout dire. Par sollicitude pour votre père, vous avez ensuite retardé vos révélations[7]. Mais aujourd'hui elles sont promises au journal que voici. L'article est prêt. Dans une heure 105 il sera composé. Demain il paraît.

- C'est juste. »

Lupin se leva, et coupant l'air d'un geste de sa main :

« Il ne paraîtra pas, s'écria-t-il.

- Il paraîtra », fit Beautrelet qui se leva d'un coup.

110 Enfin les deux hommes étaient dressés l'un contre l'autre. J'eus l'impression d'un choc, comme s'ils s'étaient empoignés à bras-le-corps. Une énergie subite enflammait Beautrelet. On eût dit qu'une étincelle avait allumé en lui des sentiments nouveaux, l'audace, l'amour-propre, la volupté[8] de la lutte,
115 l'ivresse du péril.

Quant à Lupin, je sentais au rayonnement de son regard sa joie de duelliste qui rencontre enfin l'épée du rival détesté.

« L'article est donné ?

- Pas encore.

120 - Vous l'avez là... sur vous ?

- Pas si bête ! Je ne l'aurais déjà plus.

- Alors ?

- C'est un des rédacteurs qui l'a, sous double enveloppe. Si à minuit je ne suis pas au journal, il le fait composer.

125 - Ah ! le gredin, murmura Lupin, il a tout prévu. »

Sa colère fermentait, visible, terrifiante.

Beautrelet ricana, moqueur à son tour, et grisé par son triomphe.

« Tais-toi donc, moutard[9], hurla Lupin, tu ne sais donc pas
130 qui je suis ? et que si je voulais... Ma parole, il ose rire ! »

Un grand silence tomba entre eux. Puis Lupin s'avança, et d'une voix sourde, ses yeux dans les yeux de Beautrelet :

« Tu vas courir au *Grand Journal*...

- Non.

135 - Tu vas déchirer ton article.

- Non.

- Tu verras le rédacteur en chef.

- Non.

- Tu lui diras que tu t'es trompé.

140 - Non.

- Et tu écriras un autre article, où tu donneras, de l'affaire

---

7. On a menacé Beautrelet d'enlever son père s'il s'obstinait à vouloir dire toute la vérité sur l'affaire du château. Quelle est donc cette vérité que Lupin tient tant à cacher ?

8. Volupté : vif plaisir.

9. Moutard : enfant (familier).

d'Ambrumésy, la version officielle, celle que tout le monde a acceptée.

- Non. »

145 Lupin saisit la règle en fer qui se trouvait sur mon bureau, et sans effort la brisa net. Sa pâleur était effrayante. Il essuya des gouttes de sueur qui perlaient à son front. Lui qui jamais n'avait connu de résistance à ses volontés, l'entêtement de cet enfant le rendait fou.

150 Il imprima ses mains sur l'épaule de Beautrelet et scanda :

« Tu feras tout cela, Beautrelet, tu diras que tes dernières découvertes t'ont convaincu de ma mort, qu'il n'y a pas là-dessus le moindre doute. Tu le diras parce que je le veux, parce qu'il faut qu'on croie que je suis mort. Tu le diras surtout parce 155 que si tu ne le dis pas...

- Parce que si je ne le dis pas ?

- Ton père sera enlevé cette nuit, comme Ganimard et Herlock Sholmès l'ont été. »

Beautrelet sourit.

160 « Ne ris pas... réponds.

- Je réponds qu'il m'est fort désagréable de vous contrarier, mais j'ai promis de parler, je parlerai.

- Parle dans le sens que je t'indique.

- Je parlerai dans le sens de la vérité, s'écria Beautrelet 165 ardemment. C'est une chose que vous ne pouvez pas comprendre, vous, le plaisir, le besoin plutôt, de dire ce qui est et de le dire à haute voix. La vérité est là, dans ce cerveau qui l'a découverte, elle en sortira toute nue et toute frémissante. L'article passera donc tel que je l'ai écrit. On saura que Lupin est 170 vivant, on saura la raison pour laquelle il voulait qu'on le crût mort. On saura tout. »

Et il ajouta tranquillement :

« Et mon père ne sera pas enlevé. » [...]

« Vois-tu, Lupin, ton grand défaut, c'est de croire tes 175 combinaisons infaillibles[10]. Tu te déclares vaincu ! Quelle blague ! Tu es persuadé qu'en fin de compte, et toujours, tu l'emporteras... et tu oublies que les autres peuvent avoir aussi leurs combinaisons. La mienne est très simple, mon bon ami. » [...]

180 « Qu'en dis-tu, maître ? »

Depuis quelques minutes, Lupin demeurait immobile. Pas un

10. Infaillible : qui ne peut pas manquer d'obtenir le résultat prévu.

muscle de son visage n'avait bougé. Que pensait-il ? A quel acte allait-il se résoudre ? Pour quiconque savait la violence farouche de son orgueil, un seul dénouement était possible : l'effondrement total, immédiat, définitif de son ennemi. Ses doigts se crispèrent. J'eus une seconde la sensation qu'il allait se jeter sur lui et l'étrangler.

« Qu'en dis-tu, maître ? » répéta Beautrelet.

Lupin saisit le télégramme qui se trouvait sur la table, le tendit et prononça, très maître de lui :

« Tiens, bébé, lis cela. »

Beautrelet devint grave, subitement impressionné par la douceur du geste. Il déplia le papier, et tout de suite, relevant les yeux, murmura :

« Que signifie ?... Je ne comprends pas...

- Tu comprends toujours bien le premier mot, dit Lupin... le premier mot de la dépêche... c'est-à-dire le nom de l'endroit d'où elle fut expédiée... Regarde... *Cherbourg.*

- Oui... oui... balbutia Beautrelet... oui... *Cherbourg...* et après ?

- Et après ?... il me semble que la suite n'est pas moins claire : "Enlèvement du colis terminé... camarades sont partis avec lui et attendront instructions jusqu'à huit heures du matin. Tout va bien." Qu'y a-t-il donc là qui te paraisse obscur ? Le mot colis ? Bah ! on ne pouvait guère écrire *M. Beautrelet père.* Alors, quoi ? La façon dont l'opération fut accomplie ? Le miracle grâce auquel ton père fut arraché de l'arsenal de Cherbourg, malgré ses vingt gardes du corps ? Bah ! c'est l'enfance de l'art ! Toujours est-il que le colis est expédié. Que dis-tu de cela, bébé ? »

De tout son être tendu, de tout son effort exaspéré, Isidore tâchait de faire bonne figure. Mais on voyait le frissonnement de ses lèvres, sa mâchoire qui se contractait, ses yeux qui essayaient vainement de se fixer sur un point. Il bégaya quelques mots, se tut, et soudain, s'affaissant sur lui-même, les mains à son visage, il éclata en sanglots :

« Oh ! papa... papa... »

Dénouement imprévu, qui était bien l'écroulement que réclamait l'amour-propre de Lupin, mais qui était autre chose aussi, autre chose d'infiniment touchant et d'infiniment naïf. Lupin eut un geste d'agacement et prit son chapeau, comme excédé par cette crise insolite de sensiblerie. Mais, au seuil de la porte il s'arrêta, hésita, puis revint, pas à pas, lentement. [...]

« Tu avais raison, vois-tu, nous ne sommes pas ennemis. Il y
225 a longtemps que je le sais... Dès la première heure, j'ai senti pour toi, pour l'être intelligent que tu es, une sympathie involontaire... de l'admiration... Et c'est pourquoi je voudrais te dire ceci... ne t'en froisse pas surtout... je serais désolé de te froisser... mais il faut que je te le dise... Eh bien ! renonce à
230 lutter contre moi... Ce n'est pas par vanité que je te le dis... ce n'est pas non plus parce que je te méprise... mais vois-tu... la lutte est trop inégale... Tu ne sais pas... personne ne sait toutes les ressources dont je dispose... »

Réfléchissons ensemble

1. La présence de l'auteur. Quel est l'intérêt de ses interventions ? Pourquoi est-il surpris ?

2. Lupin. Comment apparaît-il ? Relevez les traits dominants de sa personne dans la première partie. Qu'est-ce qui explique son attitude ?

3. Le changement. Quel est l'événement qui donne à Lupin de l'assurance ? Notez les termes qui caractérisent Lupin dans cette deuxième partie.

4. L'affrontement. Qu'est-ce qui fait la supériorité de Beautrelet ? Quels sont les sentiments de Lupin ? Que prouvent ses réactions ? Quel changement se produit au niveau du langage ?

5. La défaite de Beautrelet. Pourquoi est-elle si dramatique ? Pourquoi Beautrelet ne comprend-il pas tout de suite ?

6. La victoire de Lupin. Montrez que malgré son succès, Lupin essaye de justifier la défaite de son adversaire. N'y a-t-il pas dans ses derniers mots une menace ?

Exprimons-nous

1. Il vous est certainement arrivé au cours d'une discussion de tenir tête à quelqu'un. Racontez en précisant les circonstances et le sujet de la dispute.

2. L'affrontement entre Lupin et Beautrelet possède une force théâtrale. Vous pourrez jouer ce passage en tenant compte des indications données par l'auteur. Il faudra travailler les « non » et essayer de faire passer tout ce que Leblanc a voulu y mettre. La scène ira de « Tu vas courir au *Grand Journal...* » à « et mon père ne sera pas enlevé ».

8. LE CHÂTEAU DE L'AIGUILLE

Beautrelet, après avoir accepté les conditions de Lupin, ne peut se résigner au silence et fait publier dans Le Grand Journal *ses révélations : après le cambriolage, Lupin blessé et en route vers la crypte voit arriver Mlle de Saint-Véran. Il la persuade de son innocence en ce qui concerne le meurtre de Daval. Prise de pitié, elle le conduit jusqu'à la crypte et le soigne ; elle devient ainsi sa complice, va continuer à le soigner et le guérir. Mais Lupin va tomber amoureux de sa jolie garde-malade et, comme celle-ci espace ses visites, il la fait enlever et organise la mise en scène des cadavres pour dérouter ses adversaires. Mais grâce à son intuition Beautrelet devine la vérité. La seule chose qui reste encore dans l'ombre pour Isidore, c'est de savoir pourquoi on a voulu lui reprendre un message qu'il connaît par cœur. Quelle est donc la valeur de ce papier ?*

Le soir même de la parution de cet article, le père de Beautrelet est enlevé et Isidore se lance à sa recherche. Après bien des échecs dans sa poursuite, il reçoit une lettre qu'un vieil homme a trouvée et expédiée. Mais celui-ci est dans l'impossibilité de donner des explications : il ne se souvient de rien. Beautrelet le suit et parvient devant un château : celui-ci se nomme château de l'Aiguille et se trouve dans le département de la Creuse. Aiguille, creuse : ce sont les termes du message, Isidore se sent très près du but. Il décide d'aller seul délivrer son père. Auparavant il apprend le nom du propriétaire, Louis Valméras, qui, après s'être fait un peu prier, accepte d'accompagner Beautrelet dans son expédition.

... Deux jours après, au pas d'un cheval famélique[1], arrivait à Crozant une roulotte de bohémiens que son conducteur obtint l'autorisation de remiser au bout du village, sous un ancien hangar déserté. Outre le conducteur, qui n'était autre que 5 Valméras, il y avait trois jeunes gens occupés à tresser des fauteuils avec des brins d'osier : Beautrelet et deux de ses camarades de Janson.

Ils demeurèrent là trois jours, attendant une nuit propice[2], et rôdant isolément aux alentours du parc. Une fois, Beautrelet

1. Famélique : amaigri par le manque de nourriture.
2. Propice : favorable.

10 aperçut la poterne[3]. Pratiquée entre deux contreforts, elle se confondait presque, derrière le voile de ronces qui la masquait, avec le dessin formé par les pierres de la muraille. Enfin, le quatrième soir, le ciel se couvrit de gros nuages noirs et Valméras décida qu'on irait en reconnaissance, quitte à 15 rebrousser chemin si les circonstances n'étaient pas favorables.

Tous quatre ils traversèrent le petit bois. Puis Beautrelet rampa parmi les bruyères, écorcha ses mains à la haie de ronces, et, se soulevant à moitié, lentement, avec des gestes qui se retenaient, introduisit la clef dans la serrure. Doucement, il 20 tourna. La porte allait-elle s'ouvrir sous son effort ? Un verrou ne la fermait-il pas de l'autre côté ? Il poussa, la porte s'ouvrit, sans grincement, sans secousse. Il était dans le parc.

« Vous êtes là, Beautrelet ? demanda Valméras, attendez-moi. Vous deux, mes amis, surveillez la porte pour que notre 25 retraite ne soit pas coupée. A la moindre alerte, un coup de sifflet. »

Il prit la main de Beautrelet, et ils s'enfoncèrent dans l'ombre épaisse des fourrés. Un espace plus clair s'offrit à eux quand ils arrivèrent au bord de la pelouse centrale. Au même moment, 30 un rayon de lune filtra, et ils aperçurent le château avec ses clochetons pointus disposés autour de cette flèche effilée à laquelle, sans doute, il devait son nom. Aucune lumière aux fenêtres. Aucun bruit. Valméras empoigna le bras de son compagnon.

35 « Taisez-vous.

- Quoi ?

- Les chiens là-bas... vous voyez... »

Un grognement se fit entendre. Valméras siffla très bas. Deux silhouettes blanches bondirent et en quatre sauts vinrent 40 s'abattre aux pieds du maître.

« Tout doux, les enfants... couchez là... bien... ne bougez plus... »

Et il dit à Beautrelet :

« Et maintenant, marchons, je suis tranquille.

45 - Vous êtes sûr du chemin ?

- Oui. Nous nous rapprochons de la terrasse.

- Et alors ?

- Je me rappelle qu'il y a sur la gauche, à un endroit où la terrasse, qui domine la rivière, s'élève au niveau des fenêtres du

3. Poterne : passage sous un rempart donnant sur le fossé.

« Château », dessin non daté de Victor Hugo (1802-1885).

50 rez-de-chaussée, un volet qui ferme mal et qu'on peut ouvrir de l'extérieur. »

De fait, quand ils y furent arrivés, sous l'effort, le volet céda. Avec une pointe de diamant, Valméras coupa un carreau. Il tourna l'espagnolette. L'un après l'autre ils franchirent le 55 balcon. Cette fois, ils étaient dans le château.

« La pièce où nous sommes, dit Valméras, se trouve au bout du couloir. Puis il y a un immense vestibule orné de statues et, à l'extrémité du vestibule, un escalier qui conduit à la chambre occupée par votre père. »

60 Il avança d'un pas.

« Vous venez, Beautrelet ?

- Oui. Oui.

- Mais non, vous ne venez pas... Qu'est-ce que vous avez ? »

Il lui saisit la main. Elle était glacée, et il s'aperçut que le 65 jeune homme était accroupi sur le parquet.

« Qu'est-ce que vous avez ? répéta-t-il.

- Rien... ça passera.

- Mais enfin...

- J'ai peur...

70 - Vous avez peur !

- Oui, avoua Beautrelet ingénument[4]... ce sont mes nerfs qui flanchent... j'arrive souvent à les commander... mais aujourd'hui, le silence... l'émotion... Et puis, depuis le coup de couteau de ce greffier... Mais ça va passer... tenez, ça passe... »

75 Il réussit, en effet, à se lever, et Valméras l'entraîna hors de la chambre. Ils suivirent à tâtons un couloir, et si doucement, que chacun d'eux ne percevait pas la présence de l'autre. Une faible lueur cependant semblait éclairer le vestibule vers lequel ils se dirigeaient. Valméras passa la tête. C'était une veilleuse placée 80 au bas de l'escalier, sur un guéridon que l'on apercevait à travers les branches frêles d'un palmier.

« Halte ! » souffla Valméras.

Près de la veilleuse, il y avait un homme en faction, debout, qui tenait un fusil. Les avait-il vus ? Peut-être. Du moins 85 quelque chose dut l'inquiéter, car il épaula.

Beautrelet était tombé à genoux contre la caisse d'un arbuste et il ne bougeait plus, le cœur comme déchaîné dans sa poitrine.

Cependant le silence et l'immobilité des choses rassurèrent

---

4. Ingénument : naïvement.

l'homme en faction. Il baissa son arme. Mais sa tête resta tournée vers la caisse de l'arbuste.

D'effrayantes minutes s'écoulèrent, dix, quinze. Un rayon de lune s'était glissé par une fenêtre de l'escalier. Et soudain Beautrelet s'avisa que le rayon se déplaçait insensiblement et que, avant quinze autres, dix autres minutes, il serait sur lui, l'éclairant en pleine face.

Des gouttes de sueur tombèrent de son visage sur ses mains tremblantes. Son angoisse était telle qu'il fut sur le point de se relever et de s'enfuir... Mais, se souvenant que Valméras était là, il le chercha des yeux, et il fut stupéfait de le voir, ou plutôt de le deviner qui rampait dans les ténèbres à l'abri des arbustes et des statues. Déjà il atteignait le bas de l'escalier, à hauteur, à quelques pas, de l'homme.

Qu'allait-il faire ? Passer quand même ? Monter seul à la délivrance du prisonnier ? Mais pourrait-il passer ? Beautrelet ne le voyait plus et il avait l'impression que quelque chose allait s'accomplir, une chose que le silence, plus lourd, plus terrible, semblait pressentir aussi.

Et brusquement une ombre qui bondit sur l'homme, la veilleuse qui s'éteint, le bruit d'une lutte... Beautrelet accourut. Les deux corps avaient roulé sur les dalles. Il voulut se pencher. Mais il entendit un gémissement rauque, un soupir, et aussitôt un des adversaires se releva qui lui saisit le bras.

« Vite... Allons-y. »

C'était Valméras.

Ils montèrent deux étages et débouchèrent à l'entrée d'un corridor qu'un tapis recouvrait.

« A droite, souffla Valméras... la quatrième chambre sur la gauche. »

Bientôt ils trouvèrent la porte de cette chambre. Comme ils s'y attendaient, le captif était enfermé à clef. Il leur fallut une demi-heure ; une demi-heure d'efforts étouffés, de tentatives assourdies pour forcer la serrure. Enfin ils entrèrent. A tâtons, Beautrelet découvrit le lit. Son père dormait. Il le réveilla doucement.

« C'est moi, Isidore... et un ami... Ne crains rien... lève-toi... pas un mot... »

Le père s'habilla, mais au moment de sortir, il leur dit à voix basse :

« Je ne suis pas seul dans le château...

- Ah ! qui ? Ganimard ? Sholmès ?

- Non... du moins je ne les ai pas vus.
- Alors ?
- Une jeune fille.
- Mlle de Saint-Véran, sans aucun doute ?
135 - Je ne sais pas... je l'ai aperçue de loin plusieurs fois dans le parc... et puis, en me penchant de ma fenêtre, je vois la sienne... Elle m'a fait des signaux.
- Tu sais où est sa chambre ?
- Oui, dans ce couloir, la troisième à droite.
140 - La chambre bleue, murmura Valméras. La porte est à deux battants, nous aurons moins de mal. »

Très vite, en effet, l'un des battants céda. Ce fut le père Beautrelet qui se chargea de prévenir la jeune fille.

Dix minutes après il sortait de la chambre avec elle et disait à
145 son fils :

« Tu avais raison... Mlle de Saint-Véran. »

Ils descendirent tous quatre. Au bas de l'escalier, Valméras s'arrêta et se pencha sur l'homme, puis les entraînant vers la chambre de la terrasse :

150 « Il n'est pas mort, il vivra.
- Ah ! fit Beautrelet avec soulagement.
- Par bonheur, la lame de mon couteau a plié... le coup n'est pas mortel. Et puis quoi, ces coquins ne méritent pas de pitié. »

Dehors, ils furent accueillis par les deux chiens qui les
155 accompagnèrent jusqu'à la poterne. Là, Beautrelet retrouva ses deux amis. La petite troupe sortit du parc. Il était trois heures du matin.

Comprenons le texte

1. Quels sont les différents épisodes de ce passage ? Essayez de leur donner un titre.

2. Quelles sont les circonstances favorables à nos héros ?

3. Comment la peur de Beautrelet se justifie-t-elle ? Quel effet produit-elle sur le lecteur ?

4. Étudiez le personnage de Valméras, son attitude, ses interventions. Quel est son rôle dans ce passage ?

Exprimons-nous

D'après les indications du texte, vous reproduirez le plan du rez-de-chaussée du château.
Imaginez la suite du récit si Valméras n'était pas intervenu.

9. LA SECONDE RENCONTRE LUPIN-BEAUTRELET

La victoire de Beautrelet est éclatante : Mademoiselle de Saint-Véran, la jeune fille que convoitait Lupin, finit par épouser Louis Valméras. Isidore savoure sa victoire, mais une lettre ouverte de Massiban lui révèle, avec l'historique de l'Aiguille creuse, que Lupin, dernier héritier des rois de France, connaît le mystère de l'aiguille. Beautrelet prend contact avec Massiban qui lui donne rendez-vous pour lui remettre le livre permettant d'élucider le mystère. Mais le Massiban qui le reçoit n'est autre que Lupin qui réussit à s'enfuir ; et Madame de Villemon détentrice du secret ne livre rien.

Il était dix heures et demie. Il y avait un train à onze heures cinquante. Lentement il suivit l'allée du parc et s'engagea sur le chemin qui le menait à la gare.

« Eh bien, qu'en dis-tu, de celle-là ? »

5 C'était Massiban, ou plutôt Lupin, qui surgissait du bois contigu à la route.

« Est-ce bien combiné ? Est-ce que ton vieux camarade sait danser sur la corde raide ? Je suis sûr que t'en reviens pas, hein ? et que tu te demandes si le nommé Massiban, membre de 10 l'Académie des Inscriptions et Belles-Lettres, a jamais existé ? Mais oui, il existe. On te le fera voir même, si t'es sage. Mais d'abord, que je te rende ton revolver... Tu regardes s'il est chargé ? Parfaitement, mon petit. Cinq balles qui restent, dont une seule suffirait à m'envoyer *ad patres*... Eh bien, tu le mets 15 dans ta poche ?... A la bonne heure... J'aime mieux ça que ce que tu as fait là-bas... Vilain ton petit geste ! Mais quoi, on est jeune, on s'aperçoit tout à coup – un éclair ! – qu'on a été roulé une fois de plus par ce sacré Lupin, et qu'il est là devant vous à trois pas... pfffft, on tire... Je ne t'en veux pas, va... La 20 preuve c'est que je t'invite à prendre place dans ma cent chevaux. Ça colle ? »

Il mit ses doigts dans sa bouche et siffla.

Le contraste était délicieux entre l'apparence vénérable du vieux Massiban, et la gaminerie de gestes et d'accent que Lupin affectait. Beautrelet ne put s'empêcher de rire.

« Il a ri ! il a ri ! s'écria Lupin en sautant de joie. Vois-tu, ce qui te manque, bébé, c'est le sourire... tu es un peu grave pour ton âge... Tu es très sympathique, tu as un grand charme de naïveté et de simplicité... mais vrai, t'as pas le sourire. »

Il se planta devant lui.

« Tiens, j'parie que je vais te faire pleurer. Sais-tu comment j'ai suivi ton enquête ? comment j'ai connu la lettre que Massiban t'a écrite et le rendez-vous qu'il avait pris pour ce matin au château de Vélines ? Par les bavardages de ton ami, celui chez qui tu habites... Tu te confies à cet imbécile-là, et il n'a rien de plus pressé que de tout confier à sa petite amie... Et sa petite amie n'a pas de secrets pour Lupin. Qu'est-ce que je te disais ? Te voilà tout chose... Tes yeux se mouillent... l'amitié trahie, hein ? ça te chagrine... Tiens, tu es délicieux, mon petit... Pour un rien je t'embrasserais... tu as toujours des regards étonnés qui me vont droit au cœur... Je me rappellerai toujours, l'autre soir, à Gaillon, quand tu m'as consulté... Mais oui, c'était moi, le vieux notaire... Mais ris donc, gosse... Vrai, je te répète, t'as pas le sourire. Tiens, tu manques... comment dirais-je ? tu manques de « primesaut ». Moi, j'ai le « primesaut ». »

On entendait le halètement d'un moteur tout proche. Lupin saisit brusquement le bras de Beautrelet et, d'un ton froid, les yeux dans les yeux :

« Tu vas te tenir tranquille maintenant, hein ? tu vois bien qu'il n'y a rien à faire. Alors à quoi bon user tes forces et perdre ton temps ? Il y a assez de bandits dans le monde... Cours après, et lâche-moi... sinon... C'est convenu, n'est-ce-pas ? »

Il le secouait pour lui imposer sa volonté. Puis il ricana :

« Imbécile que je suis ! Toi me ficher la paix ? T'es pas de ceux qui flanchent... Ah ! je ne sais pas ce qui me retient... En deux temps et trois mouvements, tu serais ficelé, bâillonné... et dans deux heures, à l'ombre pour quelques mois... Et je pourrais me tourner les pouces en toute sécurité, me retirer dans la paisible retraite que m'ont préparée mes aïeux, les rois de France, et jouir des trésors qu'ils ont eu la gentillesse d'accumuler pour moi... Mais non, il est dit que je ferai la gaffe jusqu'au bout... Qu'est-ce que tu veux ? on a ses faiblesses... Et j'en ai une pour toi... Et puis quoi, c'est pas encore fait. D'ici à

ce que tu aies mis le doigt dans le creux de l'Aiguille, il passera
65 de l'eau sous le pont... Que diable ! Il m'a fallu dix jours à moi, Lupin. Il te faudra bien dix ans. Il y a de l'espace, tout de même, entre nous deux. »

L'automobile arrivait, une immense voiture à carrosserie fermée. Il ouvrit la portière, Beautrelet poussa un cri. Dans la
70 limousine il y avait un homme et cet homme c'était Lupin ou plutôt Massiban.

Il éclata de rire, comprenant soudain.

Réfléchissons

1. Montrez que ce texte est la suite de la première rencontre de Beautrelet et de Lupin. Qu'y a-t-il de semblable ? Quelles sont les différences, d'attitude, de ton ?

2. Quel reproche Lupin fait-il à Isidore ? Pensez-vous qu'il soit justifié ? Pourquoi ?

Exprimons-nous

Essayez de mimer ou de représenter cette scène par le dessin.

L'Aiguille d'Etretat (70 mètres) sur la côte du Pays de Caux.

10. SÉSAME, OUVRE-TOI

Beautrelet a réussi dans son entreprise ; son père et Mlle de Saint-Véran sont délivrés. Tout est bien qui finit bien, semble-t-il. On retrouve Ganimard et Sholmès, endormis et ligotés devant le Quai-des-Orfèvres. Et la défaite complète de Lupin est couronnée par le mariage de Valméras avec Mlle de Saint-Véran ! Mais au millieu de l'euphorie générale, Beautrelet reçoit un article qui lui apprend que le secret de l'Aiguille creuse est historique et qu'il a fait fausse route avec le château de l'Aiguille. Tout serait donc terminé sans la ténacité de Beautrelet, qui veut découvrir l'énigme posée par Lupin et décoder le message secret qui semble si important. Il lui faut donc trouver un autre sens aux trois mots. Il poursuit ses recherches avec acharnement. Une série d'incidents lui confirme l'importance de ce message. Piqué par une phrase de Lupin : « Que diable, il m'a fallu dix jours à moi Lupin, il te faudra bien dix ans », il finit par découvrir une grotte nommée « la Chambre des demoiselles ». C'est la grande révélation.

L'Aiguille d'Étretat est creuse !

Phénomène naturel ? Excavation[1] produite par des cataclysmes[2] intérieurs ou par l'effort insensible de la mer qui bouillonne, de la pluie qui s'infiltre ? Ou bien œuvre 5 surhumaine, exécutée par des humains, Celtes, Gaulois, hommes préhistoriques ? Questions insolubles sans doute. Et qu'importait ? L'essentiel résidait en ceci : l'Aiguille était creuse.

A quarante ou cinquante mètres de cette arche imposante qu'on appelle la Porte d'Aval et qui s'élance du haut de la 10 falaise, ainsi que la branche colossale d'un arbre, pour prendre racine dans les rocs sous-marins, s'érige[3] un cône calcaire

1. Excavation : trou.
2. Cataclysme : grand bouleversement.
3. S'ériger : se dresser.

démesuré, et ce cône n'est qu'un bonnet d'écorce pointu posé sur du vide !

Révélation prodigieuse ! Après Lupin, voilà que Beautrelet
15 découvrait le mot de la grande énigme, qui a plané sur plus de vingt siècles ! mot d'une importance suprême pour celui qui le possédait jadis, aux lointaines époques où des hordes de barbares chevauchaient le vieux monde ! mot magique qui ouvre l'antre cyclopéen[4] à des tribus entières fuyant devant
20 l'ennemi ! mot mystérieux qui garde la porte de l'asile le plus inviolable ! mot prestigieux qui donne le pouvoir et assure la prépondérance ! [...]

C'est l'asile et c'est aussi la formidable cachette. Tous les trésors des rois, grossis de siècle en siècle, tout l'or de France,
25 tout ce qu'on extrait du peuple, tout ce qu'on arrache au clergé, tout le butin ramassé sur les champs de bataille de l'Europe, c'est dans la caverne royale qu'on l'entasse. Vieux sous d'or, écus reluisants, doublons, ducats, florins, guinées, et les pierreries, et les diamants, et tous les joyaux, et toutes les
30 parures, tout est là. Qui le découvrirait ? Qui saurait jamais le secret impénétrable de l'Aiguille ? Personne.

Si, Lupin.

Et Lupin devient cette sorte d'être vraiment disproportionné que l'on connaît, ce miracle impossible à expliquer tant que la
35 vérité demeure dans l'ombre. Si infinies que soient les ressources de son génie, elles ne peuvent suffire à la lutte qu'il soutient contre la Société. Il en faut d'autres plus matérielles. Il faut la retraite sûre, il faut la certitude de l'impunité, la paix qui permet l'exécution des plans.

40 Sans l'Aiguille creuse, Lupin est incompréhensible, c'est un mythe[5], un personnage de roman, sans rapport avec la réalité. Maître du secret, et de quel secret ! c'est un homme comme les autres, tout simplement, mais qui sait manier de façon supérieure l'arme extraordinaire dont le destin l'a doté.

---

4. Antre cyclopéen : repaire du Cyclope, qui était un géant mythologique n'ayant qu'un seul œil.

5. Mythe : légende.

Comprenons le texte

1. La découverte : pourquoi est-elle si importante ?

2. Quelle est la valeur de cette découverte pour Lupin ?

3. Le paysage, bien sûr, sert de cadre au récit. Essayez de montrer qu'il a pourtant ici une autre fonction.

4. Quel est le rôle de Lupin dans la société ? Où se situe-t-il ?

5. Relevez la ponctuation du premier paragraphe. Quelle est son utilité : que traduit-elle ?

L'art du récit

1. L'utilisation des présentatifs « c'est », « voilà ». Voyez comment ils sont employés ici. Quel est leur rôle ? A votre tour, construisez des phrases où vous les emploierez de cette manière.

2. Relevez la comparaison du second paragraphe, voyez comment elle se développe. A vous d'en trouver d'autres.

11. SHOLMÈS CONTRE LUPIN

Après bien des calculs, Beautrelet décode le message et prévient Ganimard qui le rejoint, avec douze hommes. Ils donnent l'assaut à la retraite de Lupin. Après avoir traversé quatre salles, Isidore parvient seul à une petite pièce où trois couverts sont mis et il découvre avec stupeur que Valméras n'est autre que Lupin. Celui-ci lui fait admirer tapisseries, horloges, livres, dentelles et bibelots avant d'arriver à la salle du Trésor. Il annonce aussi qu'il va renoncer à tout cela pour l'amour de Raymonde. Pendant ce temps, Ganimard a pénétré dans l'Aiguille et Lupin se sert de Beautrelet comme d'un bouclier pour couvrir sa fuite. Ils se sauvent avec Raymonde grâce à un sous-marin qui les dépose près de Dieppe. Là, tandis qu'un douanier leur apprend qu'un matelot anglais rôde dans le village, Lupin confie de nouveau à Beautrelet qu'il abandonne sa vie aventureuse.

Ils approchaient d'une vieille porte qui servait d'entrée à la ferme. Lupin s'arrêta une seconde et balbutia :

« Pourquoi ai-je peur ?... C'est comme une oppression... Est-ce que l'aventure de l'Aiguille creuse n'est pas finie ? Est-ce
5 que le destin n'accepte pas le dénouement que j'ai choisi ? »

Raymonde se retourna, tout inquiète.

« Voilà Césarine. Elle court... »

La femme du douanier, en effet, arrivait de la ferme en toute hâte. Lupin se précipita :

10 « Quoi ! qu'y a-t-il ? Parlez donc ! »

Suffoquée, à bout de souffle, Césarine bégaya :

« Un homme... j'ai vu un homme dans le salon.

- L'Anglais de ce matin ?

- Oui... mais déguisé autrement...

15 - Il vous a vue ?

- Non. Il a vu votre mère. Mme Valméras l'a surpris comme il s'en allait.

- Eh bien ?

- Il lui a dit qu'il cherchait Louis Valméras, qu'il était votre
20 ami.

- Alors ?

- Alors madame a répondu que son fils était en voyage... pour des années...

- Et il est parti ?

25 - Non. Il a fait des signes par la fenêtre qui donne sur la plaine... comme s'il appelait quelqu'un. »

Lupin semblait hésiter. Un grand cri déchira l'air. Raymonde gémit :

« C'est ta mère... je reconnais... »

30 Il se jeta sur elle, et l'entraînant dans un élan de passion farouche :

« Viens... fuyons... toi d'abord... »

Mais tout de suite il s'arrêta, éperdu, bouleversé.

« Non, je ne peux pas... c'est abominable... Pardonne-moi...
35 Raymonde... la pauvre femme là-bas... Reste ici... Beautrelet, ne la quitte pas. »

Il s'élança le long du talus qui environne la ferme, tourna, et le suivit, en courant, jusqu'auprès de la barrière qui s'ouvre sur la plaine... Raymonde, que Beautrelet n'avait pu retenir, arriva
40 presque en même temps que lui, et Beautrelet, dissimulé derrière les arbres, aperçut, dans l'allée déserte qui menait de la ferme à la barrière, trois hommes, dont l'un, le plus grand, marchait en tête, et dont deux autres tenaient sous les bras une femme qui essayait de résister et qui poussait des gémissements
45 de douleur.

Le jour commençait à baisser. Cependant Beautrelet reconnut Herlock Sholmès. La femme était âgée. Des cheveux blancs encadraient son visage livide. Ils approchaient tous les quatre. Ils atteignaient la barrière. Sholmès ouvrit un battant. Alors
50 Lupin s'avança et se planta devant lui.

Le choc parut d'autant plus effroyable qu'il fut silencieux, presque solennel. Longtemps les deux ennemis se mesurèrent du regard. Une haine égale convulsait[1] leurs visages. Ils ne bougeaient pas.

55 Lupin prononça avec un calme terrifiant :

« Ordonne à tes hommes de laisser cette femme.

- Non ! »

On eût pu croire que l'un et l'autre ils redoutaient d'engager la lutte suprême et que l'un et l'autre ils ramassaient tou es leurs

1. Convulser : crisper.

60 forces. Et plus de paroles inutiles cette fois, plus de provocations railleuses. Le silence, un silence de mort.

Folle d'angoisse, Raymonde attendait l'issue du duel. Beautrelet lui avait saisi les bras et la maintenait immobile. Au bout d'un instant, Lupin répéta :

65 « Ordonne à tes hommes de laisser cette femme.

- Non ! »

Lupin prononça :

« Écoute, Sholmès... »

Mais il s'interrompit, comprenant la stupidité des mots. En 70 face de ce colosse d'orgueil et de volonté qui s'appelait Sholmès, que signifiaient les menaces ?

Décidé à tout, brusquement il porta la main à la poche de son veston. L'Anglais le prévint, et, bondissant vers sa prisonnière, il lui colla le canon de son revolver à deux pouces de la tempe.

75 « Pas un geste, Lupin, ou je tire. »

En même temps ses deux acolytes[2] sortirent leurs armes et les braquèrent sur Lupin... Celui-ci se raidit, dompta la rage qui le soulevait, et, froidement, les deux mains dans ses poches, la poitrine offerte à l'ennemi, il recommença :

80 « Sholmès, pour la troisième fois, laisse cette femme tranquille. »

L'Anglais ricana :

« On n'a pas le droit d'y toucher, peut-être ! Allons, allons, assez de blagues ! Tu ne t'appelles pas plus Valméras que tu ne 85 t'appelles Lupin, c'est un nom que tu as volé, comme tu avais volé le nom de Charmerace. Et celle que tu fais passer pour ta mère, c'est Victoire, ta vieille complice, celle qui t'a élevé... »

Sholmès eut un tort. Emporté par son désir de vengeance, il regarda Raymonde, que ces révélations frappaient d'horreur. 90 Lupin profita de l'imprudence. D'un mouvement rapide, il fit feu.

« Damnation ! » hurla Sholmès, dont le bras, transpercé, retomba le long du corps.

Et apostrophant ses hommes :

95 « Tirez donc, vous autres ! Tirez donc ! »

Mais Lupin avait sauté sur eux, et il ne s'était pas écoulé deux secondes que celui de droite roulait à terre, la poitrine démolie, tandis que l'autre, la mâchoire fracassée, s'écroulait contre la barrière.

100 « Débrouille-toi, Victoire... attache-les... Et maintenant, à nous deux, l'Anglais... »

Il se baissa en jurant :

« Ah ! canaille... »

Sholmès avait ramassé son arme de la main gauche et le
105 visait.

Une détonation... un cri de détresse... Raymonde s'était précipitée entre les deux hommes, face à l'Anglais. Elle chancela, porta la main à sa gorge, se redressa, tournoya, et s'abattit aux pieds de Lupin.

110 « Raymonde !... Raymonde ! »

Il se jeta sur elle et la pressa contre lui.

« Morte », fit-il.

Il y eut un moment de stupeur. Sholmès semblait confondu de son acte. Victoire balbutiait :

115 « Mon petit... mon petit... »

Beautrelet s'avança vers la jeune femme et se pencha pour l'examiner. Lupin répétait : « Morte... morte... » d'un ton réfléchi, comme s'il ne comprenait pas encore.

Mais sa figure se creusa, transformée soudain, ravagée de
120 douleur. Et il fut alors secoué d'une sorte de folie, fit des gestes irraisonnés, se tordit les poings, trépigna comme un enfant qui souffre trop.

« Misérable ! » cria-t-il tout à coup, dans un accès de haine.

Et d'un choc formidable, renversant Sholmès, il le saisit à la
125 gorge et lui enfonça ses doigts crispés dans la chair. L'Anglais râla, sans même se débattre.

« Mon petit, mon petit », supplia Victoire...

Beautrelet accourut. Mais Lupin déjà avait lâché prise, et, près de son ennemi étendu à terre, il sanglotait.

130 Spectacle pitoyable ! Beautrelet ne devait jamais en oublier l'horreur tragique, lui qui savait tout l'amour de Lupin pour Raymonde, et tout ce que le grand aventurier avait immolé[3] de lui-même pour animer d'un sourire le visage de sa bien-aimée.

La nuit commençait à recouvrir d'un linceul d'ombre le
135 champ de bataille. Les trois Anglais ficelés et bâillonnés gisaient dans l'herbe haute. Des chansons bercèrent le vaste silence de la plaine. C'était les gens de la Neuvillette qui revenaient du travail.

Lupin se dressa. Il écouta les voix monotones. Puis il
140 considéra la ferme heureuse où il avait espéré vivre paisible-

---

2. Acolyte : aide, compagnon.

3. Immoler : sacrifier.

ment auprès de Raymonde. Puis il la regarda, elle, la pauvre amoureuse, que l'amour avait tuée, et qui dormait, toute blanche, de l'éternel sommeil.

Les paysans approchaient cependant. Alors Lupin se pencha, 145 saisit la morte dans ses bras puissants, la souleva d'un coup, et, ployé en deux, l'étendit sur son dos.

« Allons-nous-en, Victoire.

- Allons-nous-en, mon petit.

- Adieu, Beautrelet », dit-il.

150 Et, chargé du précieux et horrible fardeau, suivi de sa vieille servante, silencieux, farouche[4], il partit du côté de la mer, et s'enfonça dans l'ombre profonde...

Expliquons le texte

1. Quels sont les éléments de la première partie du texte qui laissent présager le drame ?

2. L'affrontement Sholmès-Lupin. Qu'y a-t-il de commun entre ces deux hommes ? Qu'éprouvent-ils l'un pour l'autre ? A quoi sont-ils résolus ?

3. Le drame. Qu'est-ce qui l'a provoqué ? Pourquoi Raymonde est-elle intervenue ?

4. Qu'éprouvent les différents personnages face à cette mort ?

5. Comment s'exprime la douleur de Lupin ?

6. Quels éléments s'opposent dans le dernier passage ? Quel effet cela produit-il ?

7. La fin tragique. Montrez qu'elle est nécessaire à la survie du personnage de Lupin.

Exprimons-nous

Auriez-vous pu imaginer une autre fin à cette longue aventure de Lupin ? Essayez de l'écrire en tenant compte des caractères des divers personnages.

---

4. Farouche : sauvage.

Questions d'ensemble sur le roman

La structure du roman

Le roman peut se découper en trois parties situées chacune dans un lieu différent. Les extraits que nous avons présentés sont volontairement pris pour la plupart dans la première partie.

1. Quelle est l'énigme à résoudre ? Quels sont les indices importants qui vont permettre de trouver la solution ?

2. Comment l'énigme est-elle résolue ? Par qui ? Ne reste-t-il pas encore des éléments à découvrir ?

3. Montrez qu'au fur et à mesure que Beautrelet trouve une solution provisoire ou définitive, se présente une autre énigme plus difficile encore à résoudre que la précédente.

4. Quelles sont les fausses pistes suivies par Beautrelet ?

Les personnages

1. Le héros de ce roman est double : c'est ce qui fait l'originalité de *L'Aiguille creuse*. Montrez les ressemblances et les différences entre Beautrelet et Lupin.

2. Lupin. Qu'est-ce qui fait sa force ? Quelle sorte de fascination exerce-t-il sur son entourage ?

3. Beautrelet. Essayez de résumer les caractéristiques du personnage.

4. Les personnages secondaires. Montrez qu'ils peuvent se classer en deux camps.

5. Quel rôle joue l'auteur dans le roman ?

Les lieux

1. Précisez les lieux de l'action.

2. Étude détaillée de quelques descriptions. Montrez que leur valeur est plus importante qu'il ne semble, qu'elles jouent un rôle dans l'action.

MOI, ARSÈNE LUPIN

Boileau et Narcejac, auteurs de romans policiers que vous connaissez peut-être, ont également réalisé un historique de ce roman dans Le roman policier. *Dans le texte que nous présentons, ils ont imaginé la lettre qu'aurait pu écrire de nos jours Arsène Lupin. Tout en rappelant un certain nombre d'épisodes célèbres des aventures du héros de Leblanc, ils essayent également de définir le personnage de Lupin et de montrer comment il a pu sans difficulté traverser les époques et être encore de nos jours connu et apprécié, malgré des détails si particuliers à son époque.*

Je l'avoue : j'ai longtemps hésité à refaire surface ; disons plus : à ressusciter. Certes, je savais bien qu'on ne m'avait pas oublié, grâce, en particulier, au cher Georges Descrières, qui m'a prêté si aimablement son visage et sa désinvolture, et au cher Jacques
5 Dutronc, qui m'a si plaisamment chanté. Mais reparaître ainsi, pour de bon, et sans crier gare ; me contenter de dire, un beau matin : « Eh oui. Voilà. C'est moi. Vous me reconnaissez ? » ; le pari me faisait peur. Quel accueil allait-on réserver à ce revenant à huit-reflets et à monocle ?
10 En réalité, j'étais sûr de mes vieux amis. De tous ceux dont j'ai enchanté l'adolescence, qui ont fait ma connaissance sous leur pupitre d'écolier ou dans les greniers de leurs vacances ; de tous ceux à qui j'ai offert la primeur de mes révélations, qu'il s'agisse de l'Aiguille d'Etretat ou de l'œil du député Daubrecq.
15 J'étais bien certain que ceux-là répondraient sans hésitation, sans réserve, à mon appel, et qu'ils reprendraient allègrement, sinon sans émotion, le chemin du triangle cauchois, au cœur duquel les attendait, pour commencer, le Secret d'Eunerville.
Non. C'étaient les jeunes qui m'inquiétaient. Que ne
20 risquaient-ils pas de penser d'un Monsieur qui se permettait de porter des gants et les cheveux courts ; d'être élégant et rasé de près ? D'un Monsieur qui, très fort aux armes, respectait la vie de son prochain à défaut de respecter ses biens ? D'un Monsieur

qui respectait également les femmes, au point de ne leur faire l'amour qu'après leur avoir fait la cour ? D'un Monsieur qui, dédaignant le vocabulaire en trois lettres, se contentait de traiter de « gourde » tout quidam intellectuellement déficient ; et dont les jurons favoris restaient : « Crebleu ! » et « Saperlote » ? D'un Monsieur qui, une fleur bleue à son panache, protégeait la veuve sans l'exploiter et ne passait pas l'« orphelin à la moulinette » ? N'allais-je pas faire figure, à leurs yeux, de monstre antédiluvien : l'Arsène lupinosaure ?

Bref, c'est une goutte de sueur aux tempes et la gorge un peu serrée que j'ai franchi le pas.

Les aînés ont réagi comme je l'espérais. Echange de larmes et de souvenirs. « Vous vous rappelez le château de Thibermesnil... Les collections du baron de Cahorn... L'alliance d'Yvonne d'Origny... Le diamant bleu de la comtesse de Crozon... L'écharpe de Jenny Saphir... Et le tas de sable du quai de Passy... L'héritage de Cosmo Mornington... Et le chandelier à sept branches... »

Ma parole ! Ils avaient plus de mémoire que moi !

Ce sont les cadets qui m'ont épaté. Car, ô miracle, ils ont suivi... quand ils n'ont pas précédé. Ils m'ont accueilli comme un frère ; plus encore : comme un copain. N'aurais-je pourtant pas dû faire, à leurs yeux, figure d'indésirable ? N'incarnais-je pas les vertus et les sentiments qu'ils tournent régulièrement en dérision ? N'auraient-ils pas dû considérer comme autant de provocations mon inaltérable confiance en la vie, mon culte de l'effort, du sacrifice, ma générosité ; que sais-je ? N'étais-je pas, en un mot, l'antithèse des héros barbares à gadgets qu'ils chérissent ?

Eh bien, je pense que c'est, assez paradoxalement, cet anticonformisme qui les a conquis. Le Groupe a adopté le Solitaire.

Mais ce qui m'a encore le plus surpris, et amusé, c'est de voir que tant d'esprits curieux cherchaient encore à éclaircir le secret de ma naissance. Et de multiplier les hypothèses, comme si on ne se posait pas vainement les mêmes questions depuis trois générations !

Bien entendu, on a, une fois de plus, avancé le nom d'Alexandre Jacob, cet anarchiste cambrioleur de la Belle Époque qui présenterait avec moi tant de traits communs, et dont le procès commença en mars 1905. Et, une fois de plus, on a soulevé l'objection : comment Arsène Lupin pourrait-il devoir quelque chose à Alexandre Jacob, puisqu'il fit son apparition en 1904 ; c'est-à-dire un an avant que ne devînt célèbre son soi-disant modèle ?

A quoi bon, d'ailleurs, chercher à définir qui je suis ? Le
70 sais-je moi-même, qui eus mille identités, de Maxime Bermond à don Luis Perenna ; de Jean Daspry au Colonel Sparmiento : du comte d'Andresy à Horace Velmont ; du duc de Charmerace à Jim Barnett ; qui devins Raoul d'Apignac, pour vous livrer *Le secret d'Eunerville*, et qui reprendrai demain les traits de
75 Monsieur Lenormand, chef de la Sûreté.

Il y a quelque soixante ans, je confiais à Maurice Leblanc : « Moi-même, je ne sais plus très bien qui je suis. Dans une glace, je ne me reconnais plus. » Et je l'ai répété au juge Formerie, à moins que ce ne soit à mon vieil adversaire,
80 l'inspecteur Ganimard : « J'ai vécu sous tant de noms différents que j'ai fini par oublier le mien. »

Comment voulez-vous que je m'y retrouve aujourd'hui ?

Arsène LUPIN p.c.c. BOILEAU-NARCEJAC.

SECONDE PARTIE

L'ÉNIGME POLICIÈRE

QUE DEVIENT LE ROMAN POLICIER ?

Nous avons abordé avec *L'Aiguille creuse* le roman à énigmes qui sera en France une des formes essentielles du roman policier à ses débuts. Mais il existe, bien sûr, dans cette littérature des genres tout à fait différents.

Deux courants parallèles vont se dessiner, dans les pays anglo-saxons et en France, à partir du XIXe siècle. Dans la tradition anglo-saxonne, le jeu demeure l'élément essentiel.

Humphrey Bogart
dans un film de Howard Hawks,
Le port de l'Angoisse *(1944).*

Avec Edgar Poe, dans *Le double assassinat de la rue Morgue*, apparaît le problème du local clos : un crime a été commis dans une pièce apparemment fermée, et il faut trouver le coupable. Ce thème a séduit beaucoup d'auteurs : Dickson Carr dans *La chambre ardente*, Maurice Leblanc dans *Thérèse et Germaine*, et bien sûr Gaston Leroux dans *Le mystère de la chambre jaune*.

Conan Doyle introduit le roman policier où la logique est complice du mystère.

Ensuite on assiste à un nouvel épanouissement du genre avec

la « murder-party » : le criminel de plus en plus intelligent conçoit un crime qui tend à la perfection.

Quant à Dickson Carr et Gideon Fell, ils font de la peur le véritable moteur de l'enquête.

Seule Agatha Christie adopte un style bien particulier avec *Hercule Poirot* dont vous verrez plus loin la façon de raisonner.

La tradition française, elle, laisse une grande place au drame. Balzac dans *Une Ténébreuse affaire*, puis Gaboriau dans *L'Affaire Lerouge*, marquent une étape importante : Lecoq, le détective, capte l'attention au détriment du criminel. C'est, de plus, un personnage qui réfléchit, comme le Rouletabille de Gaston Leroux qui va vulgariser en France la méthode de Sherlock Holmes. Quant à Simenon, il crée avec Maigret un policier pas comme les autres, qui cherche à comprendre et même à prendre en charge le criminel.

A partir de ces deux tendances, on va assister à une diversification du roman policier et un nouveau courant apparaîtra, américain cette fois, qui ne s'imposera en France que vers 1950 par la création de la Série noire avec Chandler, Chase, Peter Cheyney, Hammett, Chester Himes. On pénètre dans l'univers du crime, de la prostitution, de la prohibition et des affrontements raciaux. On aborde ici le roman de mœurs.

Enfin, avec le roman d'espionnage, le cadre de l'action et la trame de l'intrigue feront de plus en plus référence aux problèmes internationaux. C'est alors que vont naître les super-héros de Jean Bruce, Ian Fleming et Gérard de Villiers... Sans oublier le « San Antonio » de Frédéric Dard où l'invention du langage prend autant de place, sinon plus, que l'intrigue proprement dite.

« ... IL PRÉTEND QUE C'EST MOI QUI AI TUÉ LAÏOS »

Sophocle, auteur grec de pièces de théâtre, né à Athènes vers 496 avant J.-C., va renouveler les sujets tragiques en développant la complexité des caractères. Ceci apparaît en particulier dans Œdipe roi, *œuvre qui peut constituer la première énigme policière connue.*

Laïos, prince du pays, a été mystérieusement assassiné. Créon demande à Œdipe de découvrir le meurtrier. Le devin Tirésias accuse le roi et il s'ensuit une violente querelle entre Créon et Œdipe. A ce moment, la reine Jocaste arrive.

JOCASTE : Au nom des dieux, prince, apprends-moi ce qui a pu te révolter à ce point.
ŒDIPE : Je te le dirai, ma chère femme, car j'ai plus qu'eux souci de te complaire. Il s'agit de Créon et du complot qu'il a
5 tramé contre moi.
JOCASTE : Explique-toi donc. Dans la querelle qui vous oppose, qu'as-tu à lui reprocher au juste ?
ŒDIPE : C'est simple : il prétend que c'est moi qui ai tué Laïos.
JOCASTE : Sur quoi se fonde sa conviction[1] ? Sur une enquête
10 personnelle ? Sur un rapport qu'on lui aurait fait ?
ŒDIPE : Il m'a envoyé un traître de devin[2] sur lequel il se décharge du soin de m'accuser.
JOCASTE : Si tu veux te mettre l'esprit en repos à ce sujet, écoute-moi : tu verras qu'il n'est pas de mortel qui possède
15 vraiment le don de divination. Je te le prouverai en quelques mots. Autrefois, un oracle rendu à Laïos, non certes par Phœbos en personne, mais enfin, par ses ministres, lui avait annoncé qu'il devait mourir de la main d'un fils qu'il aurait de moi. Et voilà que des brigands, si l'on en croit les bruits
20 qui ont couru, l'assassinent en pays étranger, à la jonction de deux routes. D'ailleurs, trois jours à peine après la naissance

---

1. Conviction : certitude. 2. Devin : personne qui prétend deviner l'avenir.

de l'enfant, Laïos lui avait lié les pieds et l'avait fait jeter sur une montagne déserte. Il est clair qu'Apollon n'a pas accompli l'oracle[3] : l'enfant n'est pas devenu le meurtrier de
25 son père, et Laïos n'est pas mort de la main de son fils, – comme la crainte l'en obsédait. Pourtant des prophéties lui avaient tracé ce destin... N'y attache donc plus aucune importance. Les vues que le ciel a sur nous, il n'aura besoin de personne pour nous les faire connaître, quand il le jugera
30 utile.

ŒDIPE : C'est étrange comme en t'écoutant, ma femme, je me sens l'esprit troublé, inquiet.

JOCASTE : Quelles réflexions t'inspirent soudain cette inquiétude ?

35 ŒDIPE : J'ai bien entendu, n'est-ce-pas, que Laïos fut assassiné à la jonction de deux routes ?

JOCASTE : Cela s'est dit et n'a pas, jusqu'à présent, été mis en doute.

ŒDIPE : Dans quelle région la chose s'est-elle passée ?

40 JOCASTE : Le pays porte le nom de Phocide. Le meurtre eut lieu à l'endroit oü la route qui vient de Delphes rejoint celle de Daulis.

ŒDIPE : Et combien de temps s'est écoulé depuis ?

JOCASTE : On a connu le crime un peu avant l'époque où tu as
45 pris le pouvoir.

ŒDIPE : O Zeus, qu'as-tu prémédité de faire de moi ?

JOCASTE : D'où te vient cette pensée, Œdipe ?

ŒDIPE : Ne m'interroge pas encore. Dis-moi plutôt quel aspect avait Laïos : c'était un homme de quel âge ?

50 JOCASTE : Il était grand ; il commençait à blanchir ; d'aspect, il n'était pas très différent de toi.

ŒDIPE : Malheur à moi ! Aurais-je, tout à l'heure sans le savoir, jeté sur ma tête une malédiction effroyable ?

JOCASTE : Que dis-tu ? J'ose à peine lever les yeux vers toi,
55 prince !

ŒDIPE : Je crains terriblement que le devin ne voie clair. Un mot encore peut m'en donner la preuve.

JOCASTE : La crainte me paralyse, mais je ne me déroberai pas à tes questions.

3. Oracle : réponse des dieux.

60 ŒDIPE : Voyageait-il en petit équipage ou escorté de gardes du corps, comme un chef ?

JOCASTE : Ils étaient cinq hommes, dont un piqueur ; il n'y avait pas d'autre voiture que la sienne.

ŒDIPE : Ah ! cela déjà est trop clair... Et qui vous a fait ce
65 rapport, dis-moi, femme ?

JOCASTE : Un domestique, le seul survivant.

ŒDIPE : Est-ce qu'il vit encore dans la maison ?

JOCASTE : Non. A son retour, lorsqu'il t'a vu régnant à la place de son défunt maître, il m'a pris la main et m'a suppliée de le
70 laisser partir pour les champs comme berger, afin de vivre le plus loin possible d'une ville qu'il ne voulait plus voir. Je l'ai donc laissé partir. Même pour un esclave, ce n'était pas trop payer sa fidélité.

ŒDIPE : Peut-on le faire revenir promptement ?

75 JOCASTE : C'est facile. Mais pourquoi désires-tu le voir ?

ŒDIPE : Ma femme, je crains fort d'en avoir beaucoup trop dit tout à l'heure. Voilà pourquoi je veux voir ce bonhomme.

JOCASTE : Il viendra. Mais ne suis-je pas digne, moi aussi, mon cher prince, que tu me fasses part de tes inquiétudes ?

80 ŒDIPE : Je ne puis te refuser cela, quand je vois le peu d'espoir qui me reste. Au point où j'en suis, pourrais-je trouver un confident plus sûr que toi ?

J'ai pour père Polybe, de Corinthe ; ma mère, Mérope, est originaire de la Doride. J'étais considéré là-bas comme le
85 premier des citoyens, lorsque survint un incident propre, certes, à m'étonner, mais indigne que je le prisse à cœur. Au milieu d'un festin, après boire, un convive échauffé par le vin me traite d'enfant supposé[4]. Blessé dans mon orgueil, je me contins à grand'peine tout le reste du jour. Le lendemain,
90 j'allai questionner mon père et ma mère. Ils s'indignèrent contre l'insolent. Bien que leur tendresse me fût douce, la brûlure de l'insulte avait pénétré profondément dans mon cœur. A l'insu de mes parents, je me rendis donc à Pytho. Phœbos ne daigna point répondre à ma question ; il me
95 congédia, – non toutefois sans m'avoir prédit toute sorte d'horribles calamités : que je m'unirais à ma mère, que j'exhiberais aux yeux des hommes une postérité[5] mons-

---

4. Enfant supposé : qui n'est pas celui de ses parents.
5. Postérité : descendance.

trueuse, que je deviendrais le meurtrier de mon propre père ! Je me le tins pour dit et m'éloignai de Corinthe, me dirigeant à vue de nez, en quête d'un pays où jamais je ne verrais s'accomplir à ma honte les funestes[6] prédictions. Et voilà qu'en cheminant j'arrive dans la région où tu dis que le feu roi a trouvé la mort. A toi, ma femme, je dirai toute la vérité. Près de la jonction des deux routes, sur une voiture attelée de jeunes chevaux et précédée d'un piqueur, un homme répondant au signalement que tu m'indiques s'avance dans mon chemin. Le conducteur, puis le vieillard lui-même veulent m'écarter violemment du passage. Furieux, je frappe le premier, qui me poussait contre le talus. Alors le vieillard, guettant le moment où je passais le long du véhicule, m'atteignit de deux coups d'aiguillon, en plein sur le crâne. Il n'en a pas été quitte au même prix. A l'instant même, assommé d'un coup de mon bâton, il tombe à la renverse et roule à bas de la voiture. J'ai tué tout le monde... Si Laïos a quelque chose de commun avec ce voyageur, quel homme plus que moi peut se dire malheureux, plus que moi maudit du ciel ? Désormais, ni étrangers ni citoyens ne pourront m'accueillir ni seulement m'adresser la parole, on me chassera de toutes les maisons ! Et ces malédictions, qui m'en a chargé ? Moi-même ! De mes mains, qui l'ont tué, je souille la couche du mort ! Suis-je assez misérable ! assez impur ! Il me faut fuir ; fugitif, il m'est interdit de revoir les miens et de fouler le sol de ma patrie, sous peine de m'unir à ma mère et de tuer Polybe, mon père qui m'a élevé ! Si on attribuait ce qui m'arrive à une divinité cruelle, n'aurait-on pas raison ? Jamais, jamais, ô sainte majesté des dieux, puissé-je ne voir ce jour-là ! Plutôt disparaître d'entre les hommes, avant de voir attachée sur moi une telle souillure.

LE CORYPHÉE : Ton récit, ô mon roi, nous paraît troublant ; toutefois, en attendant les explications du témoin, espère encore.

ŒDIPE : Oui, je n'ai plus d'espoir qu'en ce berger.

JOCASTE : Quel réconfort attends-tu de son témoignage ?

ŒDIPE : C'est bien simple : si sa version des faits concorde avec la tienne, j'en aurai été quitte pour la peur.

JOCASTE : Quelle particularité t'a donc frappé, dans ce que j'ai dit ?

6. Funestes : qui apportent le malheur.

Œdipe roi, *film de P.P. Pasolini (1968).*
Silvana Mangano joue le rôle de Jocaste.

ŒDIPE : L'homme a déclaré, n'est-ce pas, que les agresseurs étaient des brigands ? S'il maintient qu'ils étaient plusieurs, je
140 n'ai pas commis ce meurtre-là, car qui dit plusieurs ne dit pas un seul. Mais s'il ne parle que d'un passant isolé, il devient clair que toutes les présomptions[7] tombent sur moi.

JOCASTE : Voyons, son récit est bien ce que j'ai dit et il ne peut plus le désavouer ; toute la ville l'a entendu comme moi.
145 Quand même, sur tel ou tel point, il s'écarterait de son premier rapport, jamais, mon cher prince, il n'établira que Laïos fut tué selon les prophéties, puisque Loxias avait prédit qu'il périrait par un fils né de moi. Et comment aurait-il tué son père, le pauvre petit, puisqu'il est mort le premier ? Aussi
150 ne me verra-t-on plus à l'avenir observer le ciel, ici ou là, pour y lire des présages !

ŒDIPE : Tu as raison. N'oublie pas toutefois d'envoyer quérir le berger.

JOCASTE : Je vais y envoyer tout de suite. Cependant rentrons à
155 la maison. Je ne voudrais rien faire qui ne te fût pas agréable.

Sophocle, *Œdipe roi*, Garnier-Flammarion, 1964.

Réfléchissons sur le texte

1. Quelle était la prédiction faite à Laïos ? Comment a-t-il essayé d'y échapper ?

2. Pourquoi Œdipe se fait-il repréciser les circonstances exactes de la mort de Laïos ?

3. Comment se déroule l'interrogatoire que mène Œdipe ? Montrez la progression des questions.

4. Quels sentiments successifs animent le roi ?

5. Précisez l'attitude et les impressions de la reine.

6. Résumez en quelques lignes la malédiction qui pèse sur Œdipe.

7. Pourquoi Œdipe garde-t-il encore un espoir malgré tout ?

8. Comment la reine essaye-t-elle de réconforter Œdipe ?

9. Refaites la liste des éléments qui permettent au roi de se supposer coupable.

10. Relevez les indications concernant la religion et la civilisation antiques.

---

7. Présomptions : indices, suppositions.

Recherchons

Documentez-vous sur le personnage de Sophocle ? Quelles autres pièces a-t-il écrites ? Quels en sont les sujets ?

Recherchez l'histoire d'Œdipe et racontez la fin à vos camarades.

A l'occasion de vos recherches, vous pourrez reprendre un livre de légendes grecques et en résumer quelques-unes oralement ou par écrit. Votre professeur d'histoire pourra vous en raconter certaines.

Transposons

Vous moderniserez la confession d'Œdipe.

Précisons

Recherchez le sens exact et l'étymologie du mot « prophétie ». Trouvez des mots de la même famille ; employez-les dans des phrases qui mettront en valeur leur signification.

Vous trouverez un synonyme du mot. Il est contenu dans le passage ci-dessus.

LE CLOU

Avec Edgar Poe nous abordons le huis clos. Deux femmes ont été assassinées de façon atroce et mystérieuse dans une chambre à coucher. Or, apparemment, le meurtrier n'a pas pu se sauver. Cependant, on ne le retrouve pas. Dupin, en compagnie de son ami, essaye donc de résoudre cette énigme.

Maintenant, transportons-nous en imagination dans cette chambre. Quel sera le premier objet de notre recherche ? Les moyens d'évasion employés par les meurtriers ? Nous pouvons affirmer – n'est-ce pas – que nous ne croyons ni l'un ni
5 l'autre aux événements surnaturels ? Mesdames l'Espanaye n'ont pas été assassinées par les esprits. Les auteurs du meurtre étaient des êtres matériels, et ils ont fui matériellement.

Or, comment ? Heureusement, il n'y a qu'une manière de raisonner sur ce point, et cette manière nous conduira à une
10 conclusion positive. Examinons donc, un à un, les moyens possibles d'évasion. Il est clair que les assassins étaient dans la chambre où l'on a trouvé mademoiselle l'Espanaye, ou au moins dans la chambre adjacente[1] quand la foule a monté l'escalier. Ce n'est donc que dans ces deux chambres que nous
15 avons à chercher des issues. La police a levé les parquets, ouvert les plafonds, sondé[2] la maçonnerie des murs. Aucune issue secrète n'a pu échapper à sa perspicacité[3]. Mais je ne me suis pas fié à ses yeux, et j'ai examiné avec les miens ; il n'y a réellement pas d'issue secrète. Les deux portes qui conduisent des
20 chambres dans le corridor étaient solidement fermées, et les clefs en dedans. Voyons les cheminées. Celles-ci, qui sont d'une largeur ordinaire jusqu'à une distance de huit ou dix pieds au-dessus du foyer, ne livreraient pas au-delà un passage suffisant à un gros chat.

25 L'impossibilité de la fuite, du moins par les voies ci-dessus indiquées, étant donc absolument établie, nous en sommes réduits aux fenêtres. Personne n'a pu fuir par celles de la

---

1. Adjacente : à côté.
2. Sondé : s'être assuré que les murs n'étaient pas creux.
3. Perspicacité : clairvoyance.

chambre du devant, sans être vu par la foule du dehors. Il a donc *fallu* que les meurtriers s'échappassent par celles de la
30 chambre de derrière.

Maintenant, amenés, comme nous le sommes, à cette conclusion par des déductions aussi irréfragables[4], nous n'avons pas le droit, en tant que raisonneurs, de la rejeter en raison de son apparente impossibilité. Il ne nous reste donc qu'à
35 démontrer que cette impossibilité apparente n'existe pas en réalité.

Il y a deux fenêtres dans la chambre. L'une des deux n'est pas obstruée[5] par l'ameublement, et est restée entièrement visible. La partie inférieure de l'autre est cachée par le chevet du lit, qui
40 est fort massif et qui est poussé tout contre. On a constaté que la première était solidement assujettie en dedans. Elle a résisté aux efforts les plus violents de ceux qui ont essayé de la lever. On avait percé dans son châssis, à gauche, un grand trou avec une vrille, et on y trouva un gros clou enfoncé presque jusqu'à la
45 tête. En examinant l'autre fenêtre, on y a trouvé fiché[6] un clou semblable ; et un vigoureux effort pour lever le châssis n'a pas eu plus de succès que de l'autre côté. La police était dès lors pleinement convaincue qu'aucune fuite n'avait pu s'effectuer par ce chemin. Il fut donc considéré comme superflu de retirer
50 les clous et d'ouvrir les fenêtres.

Mon examen fut un peu plus minutieux, et cela, par la raison que je vous ai donnée tout à l'heure. C'était le cas, je le savais, où il *fallait* démontrer que l'impossibilité n'était qu'apparente.

Je continuai à raisonner ainsi, – *a posteriori*. Les meurtriers
55 s'étaient évadés par l'une de ces fenêtres. Cela étant, ils ne pouvaient pas avoir réassujetti les châssis en dedans, comme on les a trouvés ; considération qui, par son évidence, a borné les recherches de la police dans ce sens-là. Cependant ces châssis étaient bien fermés. Il *faut* donc qu'ils puissent se fermer d'eux-
60 mêmes. Il n'y avait pas moyen d'échapper à cette conclusion. J'allai droit à la fenêtre non bouchée, je retirai le clou avec quelque difficulté, et j'essayai de lever le châssis. Il a résisté à tous mes efforts, comme je m'y attendais. Il y avait donc, j'en étais sûr maintenant, un ressort caché ; et ce fait, corroborant[7]
65 mon idée, me convainquit au moins de la justesse de mes

---

4. Irréfragables : qu'on ne peut contredire.
5. Obstruée : bouchée.
6. Fiché : enfoncé.
7. Corroborant : appuyant, confirmant.

prémisses[8], quelque mystérieuses que m'apparussent toujours les circonstances relatives aux clous. Un examen minutieux me fit bientôt découvrir le ressort secret. Je le poussai, et, satisfait de ma découverte, je m'abstins de lever le châssis.

70 Je remis alors le clou en place et l'examinai attentivement. Une personne passant par la fenêtre pouvait l'avoir refermée, et le ressort aurait fait son office ; mais le clou n'aurait pas été replacé. Cette conclusion était nette et rétrécissait encore le champ de mes investigations[9]. Il *fallait* que les assassins se
75 fussent enfuis par l'autre fenêtre. En supposant donc que les ressorts des deux croisées fussent semblables, comme il était probable, il *fallait* cependant trouver une différence dans les clous, ou au moins dans la manière dont ils avaient été fixés. Je montai sur le fond de sangle du lit, et je regardai minutieuse-
80 ment l'autre fenêtre par-dessus le chevet du lit. Je passai ma main derrière, je découvris aisément le ressort, et je le fis jouer ; – il était, comme je l'avais deviné, identique au premier. Alors j'examinai le clou. Il était aussi gros que l'autre, et fixé de la même manière, enfoncé presque jusqu'à la tête.

85 Vous direz que j'étais embarrassé ; mais si vous avez une pareille pensée, c'est que vous vous êtes mépris sur la nature de mes inductions[10]. Pour me servir d'un terme de jeu, je n'avais pas commis une seule faute ; je n'avais pas perdu la piste un seul instant ; il n'y avait pas une lacune[11] d'un anneau à la
90 chaîne. J'avais suivi le secret jusque dans sa dernière phase, et cette phase, c'était le *clou*. Il ressemblait, dis-je, sous tous les rapports, à son voisin de l'autre fenêtre ; mais ce fait, quelque concluant qu'il fût en apparence, devenait absolument nul, en face de cette considération dominante, à savoir que là, à ce clou,
95 finissait le fil conducteur. Il faut, me dis-je, qu'il y ait dans ce clou quelque chose de défectueux. Je le touchai, et la tête, avec un petit morceau de la tige, un quart de pouce environ, me resta dans les doigts. Le reste de la tige était dans le trou, où elle s'était cassée. Cette fracture était fort ancienne, car les bords étaient
100 incrustés de rouille, et elle avait été opérée par un coup de marteau, qui avait enfoncé en partie la tête du clou dans le fond du châssis. Je rajustai soigneusement la tête avec le morceau qui la continuait, et le tout figura un clou intact ; la fissure était

---

8. Prémisse : affirmation dont on tire une conclusion.
9. Investigation : enquête, recherche.
10. Induction : suggestion.
11. Lacune : omission, oubli.

inappréciable. Je pressai le ressort, je levai doucement la croisée
105 de quelques pouces ; la tête du clou vint avec elle, sans bouger de son trou. Je refermai la croisée, et le clou offrit de nouveau le semblant d'un clou complet.

Jusqu'ici l'énigme était débrouillée. L'assassin avait fui par la fenêtre qui touchait au lit. Qu'elle fût retombée d'elle-même
110 après la fuite, ou qu'elle eût été fermée par une main humaine, elle était retenue par le ressort, et la police avait attribué cette résistance au clou ; aussi toute enquête ultérieure avait été jugée superflue.

Edgar Poe, *Histoires extraordinaires*,
« Double assassinat dans la rue Morgue », Éd. Gallimard, 1973.

Comprenons le texte

1. Précisez ce que l'on appelle une méthode a posteriori. Quel est le contraire ?

2. Quelles sont les étapes du raisonnement de Dupin ?

3. Quelles sont les erreurs et les négligences qu'a commises la police ?

4. Quelles sont les qualités qui permettent à Dupin de triompher ?

5. Précisez l'importance des mots en italiques.

6. « Il a donc fallu que les meurtriers s'échappassent. » Donnez le mode et le temps de cette forme verbale ; expliquez son emploi, trouvez d'autres formes semblables dans le passage.

Dessinons

Vous pourrez faire un dessin schématique de la fenêtre dont il est question et y situer le clou et le ressort afin de clarifier l'exposé de Dupin.

Exprimons-nous

L'ami de Dupin reste muet pendant toute la démonstration. Essayez de réécrire un passage en introduisant un dialogue entre Dupin et un interlocuteur sceptique.

L'INSPECTEUR JAVERT

En 1849, Vidocq (cf. introduction, p. 6) est pris comme modèle par Victor Hugo qui commence alors une longue chronique sociale, Les Misérables, *publiée en 1862. On voit apparaître dans ce roman un personnage qui ressemble beaucoup au chef de la Sûreté : c'est Javert, ancien adjudant garde-chiourme à Toulon, devenu inspecteur de police.*

Jean Valjean, repris de justice, s'est évadé du bagne et a commencé une nouvelle vie honorable. Sous le nom de M. Madeleine, il est devenu maire de Montreuil-sur-Mer. Cependant Javert croit avoir reconnu le bagnard. Pourtant, Champmathieu, ancien forçat, est jugé pour un vol de pommes et on l'accuse également d'être Jean Valjean. Madeleine ne peut supporter de voir un innocent condamné à sa place : il va interrompre l'audience pour se dénoncer à la stupéfaction générale. Il repart ensuite visiter Fantine, une pauvre femme malade qu'il a prise en pitié.

L'ordre d'arrestation fut donc expédié. L'avocat général l'envoya à Montreuil-sur-Mer par un exprès à franc étrier[1], et en chargea l'inspecteur de police Javert.

On sait que Javert était revenu à Montreuil-sur-Mer
5 immédiatement après avoir fait sa déposition.

Javert se levait au moment où l'exprès lui remit l'ordre d'arrestation et le mandat d'amener[2]. [...]

L'ordre d'arrestation, signé de l'avocat général, était ainsi conçu : « L'inspecteur Javert appréhendera au corps[3] le sieur
10 Madeleine, maire de Montreuil-sur-Mer, qui, dans l'audience de ce jour, a été reconnu pour être le forçat libéré Jean Valjean. »

Quelqu'un qui n'eût pas connu Javert et qui l'eût vu au moment où il pénétra dans l'antichambre de l'infirmerie n'eût

---

1. Exprès à franc étrier : courrier qui va de toute la vitesse de son cheval.
2. Le mandat d'amener : ordonnance qui charge un agent de la force publique d'amener un individu devant le juge.
3. Appréhender au corps : arrêter.

Jean Gabin dans le rôle de Jean Valjean. Ce film de Jean-Paul Le Chanois tiré des Misérables *a été tourné en 1957.*

pu rien deviner de ce qui se passait, et lui eût trouvé l'air le plus
15 ordinaire du monde. Il était froid, calme, grave, avait ses cheveux gris parfaitement lissés sur les tempes et venait de monter l'escalier avec sa lenteur habituelle. Quelqu'un qui l'eût connu à fond et qui l'eût examiné attentivement eût frémi. La boucle de son col de cuir, au lieu d'être sur sa nuque, était sur
20 son oreille gauche. Ceci révélait une agitation inouïe.

Javert était un caractère complet, ne laissant faire de pli ni à son devoir, ni à son uniforme ; méthodique avec les scélérats, rigide avec les boutons de son habit.

Pour qu'il eût mal mis la boucle de son col, il fallait qu'il y eût
25 en lui une de ces émotions qu'on pourrait appeler des tremblements de terre intérieurs.

Il était venu simplement, avait requis[4] un caporal et quatre soldats au poste voisin, avait laissé les soldats dans la cour, et s'était fait indiquer la chambre de Fantine par la portière sans
30 défiance, accoutumée qu'elle était de voir des gens armés demander M. le maire.

Arrivé à la chambre de Fantine, Javert tourna la clef, poussa la porte avec une douceur de garde-malade ou de mouchard[5], et entra.

35 A proprement parler, il n'entra pas. Il se tint debout dans la porte entrebâillée, le chapeau sur la tête, la main gauche dans sa redingote fermée jusqu'au menton. Dans le pli du coude on pouvait voir le pommeau de plomb de son énorme canne, laquelle disparaissait derrière lui.

40 Il resta ainsi près d'une minute sans qu'on s'aperçût de sa présence. Tout à coup, Fantine leva les yeux, le vit, et fit retourner M. Madeleine.

A l'instant où le regard de Madeleine rencontra le regard de Javert, Javert sans bouger, sans remuer, sans approcher, devint
45 épouvantable. Aucun sentiment humain ne réussit à être effroyable comme la joie.

Ce fut le visage d'un démon qui vient de retrouver son damné[6].

La certitude de tenir enfin Jean Valjean fit apparaître sur sa
50 physionomie tout ce qu'il avait dans l'âme. Le fond remué monta à la surface. L'humiliation d'avoir un peu perdu la piste

---

4. Requérir : chercher.
5. Mouchard : traître.
6. Damné : personne destinée à l'enfer.

et de s'être mépris quelques minutes sur ce Champmathieu, s'effaçait sous l'orgueil d'avoir si bien deviné d'abord et d'avoir eu si longtemps un instinct juste.

55 Le contentement de Javert éclata dans son attitude souveraine. Ce fut tout le déploiement d'horreur que peut donner une figure satisfaite.

Victor Hugo, *Les Misérables*, ch. XLVI.

Comprenons le texte

1. Qu'apprenez-vous sur le caractère de Javert ? Essayez de le définir avec le plus de précision possible. Justifiez votre réponse à l'aide d'expressions du texte.

2. Quels sont les éléments qui montrent le trouble de Javert ? Montrez comment Hugo les met en relief.

3. L'arrestation. Définissez-en les différentes étapes.

4. Qu'est-ce qui fait progresser le texte alors que les personnages ne bougent pas ?

5. Précisez les sentiments qui animent Javert au moment d'accomplir cette arrestation.

6. Pourquoi Javert a-t-il laissé les soldats dans la cour ?

7. Précisez le sens de la phrase : « Aucun sentiment humain ne réussit à être effroyable comme la joie. »

Apprécions le style de l'auteur

1. Relevez quelques formules qui vous ont frappé. Expliquez pourquoi, définissez leur originalité.

2. Justifiez l'emploi des temps dans ce texte, en particulier du conditionnel. A votre tour, construisez quelques phrases sur ce modèle.

3. Relevez le vocabulaire de la justice. A cette occasion, vous pourrez rechercher qui sont les différentes personnes présentes lors d'un procès et préciser leur rôle exact.

Rédigeons

1. Imaginez la suite du texte.

2. Rédigez le monologue intérieur de Javert lorsqu'il vient arrêter Jean Valjean.

« CURIEUX, MAIS ÉLÉMENTAIRE ! »

Sherlock Holmes appartient à ces héros de roman qui ont dépassé leur auteur pour vivre leur propre vie. Il est créé en 1887 dans Etude en rouge, *par Sir Arthur Conan Doyle qui s'inspire d'un de ses professeurs d'université : le docteur Bel. Dans* Le Chien des Baskerville, *le célèbre détective nous est présenté dès le début du roman, en compagnie de son fidèle assistant, le docteur Watson. Holmes possède, comme vous allez vous en rendre compte dans l'extrait suivant, une méthode bien particulière à laquelle aucun mystère ne résiste.*

M. Sherlock Holmes se levait habituellement fort tard, sauf lorsqu'il ne dormait pas de la nuit, ce qui lui arrivait parfois. Ce matin-là, pendant qu'il était assis devant son petit déjeuner, je ramassai la canne que notre visiteur avait oubliée la veille au
5 soir. C'était un beau morceau de bois, solide, terminé en pommeau[1]. Juste au-dessous de ce pommeau, une bague d'argent qui n'avait pas moins de deux centimètres de haut et portait cette inscription datant de 1884 : « A James Mortimer, M.R.C.S.[2], ses amis du C.C.H. » Une belle canne ; canne idéale
10 pour un médecin à l'ancienne mode : digne, rassurante...

« Eh bien, Watson, que vous suggère cette canne ? »

[...] Je me mis en devoir de me conformer de mon mieux aux méthodes de mon ami.

« Selon moi, dis-je, ce docteur Mortimer est un médecin d'un
15 certain âge, à mœurs patriarcales[3], aisé, apprécié, comme en témoigne le geste de ceux qui lui ont offert cette canne.

- Bon ! Excellent !

- Je pense qu'il y a de fortes chances pour que le docteur Mortimer soit un médecin de campagne qui visite à pied la
20 plupart de ses malades.

- Pourquoi, s'il vous plaît ?

- Parce que cette canne, qui à l'origine était très élégante, se trouve aujourd'hui dans un tel état que j'ai du mal à me la représenter entre les mains d'un médecin de ville. Le gros

---

1. Pommeau : petite boule au bout de la poignée d'une canne.
2. N. du T. : M.R.C.S. : « Member of the Royal College of Surgeons » : Membre de la Faculté Royale de Médecine.

25 embout de fer est complètement usé ; il me paraît donc évident que son propriétaire est un gros marcheur.

- Très juste !

- D'autre part, je lis : "ses amis du C.C.H.[4]". Je parierais qu'il s'agit d'une société locale de chasse dont il a soigné les 30 membres, et qui lui a offert un petit cadeau pour le remercier.

- En vérité, Watson, vous vous surpassez ! » s'exclama Holmes en repoussant sa chaise et en allumant une cigarette.

[...] Il me prit la canne des mains et l'observa quelques instants à l'œil nu. Tout à coup, intéressé par un détail, il posa 35 sa cigarette, s'empara d'une loupe, et se rapprocha de la fenêtre.

« Curieux, mais élémentaire ! fit-il en revenant s'assseoir sur le canapé qu'il affectionnait. Voyez-vous, Watson, sur cette canne je remarque un ou deux indices : assez pour nous fournir le point de départ de plusieurs déductions.

40 - Une petite chose m'aurait-elle échappé ? demandai-je avec quelque suffisance. J'espère n'avoir rien négligé d'important ?

- J'ai peur, mon cher Watson, que la plupart de vos conclusions ne soient erronées[5]. [...] Non pas que vous vous soyez trompé du tout au tout dans ce cas précis. Il s'agit 45 certainement d'un médecin de campagne ; et d'un grand marcheur.

- Donc j'avais raison.

- Jusque-là, oui.

- Mais il n'y a rien d'autre...

50 - Si, si, mon cher Watson ! Il y a autre chose. D'autres choses. J'inclinerais volontiers à penser, par exemple, qu'un cadeau fait à un médecin provient plutôt d'un hôpital que d'une société de chasse ; quand les initiales "C.C." sont placées devant le "H." de Hospital, les mots "Charing-Cross" me viennent 55 naturellement en tête.

- C'est une hypothèse.

- Je n'ai probablement pas tort. Si nous prenions cette hypothèse pour base, nous allons procéder à une reconstitution très différente de notre visiteur inconnu.

60 [...] En quelle occasion un tel cadeau a-t-il pu être fait ? Quand des amis se sont-ils réunis pour offrir ce témoignage

---

3. Patriarcales : mœurs paisibles, rustiques et simples.

4. Hunt : chasse en anglais (N. du T.).

5. Erronées : qui comportent une erreur.

d'estime ? De toute évidence à l'époque où le docteur Mortimer a quitté le service hospitalier pour ouvrir un cabinet. Nous savons qu'il y a eu cadeau.Nous croyons qu'il y a eu départ d'un hôpital londonien pour une installation à la campagne. Est-il téméraire[6] de déduire que le cadeau lui a été offert à l'occasion de ce départ ?

- Certainement pas.

- Mais convenez aussi pour moi, Watson, qu'il ne peut s'agir de l'un des "patrons" de l'hôpital : un patron en effet est un

6. Téméraire : hasardeux.

« Inspecteur Bougret ». Bande dessinée de Gotlib. A lui tout seul cet inspecteur incarne les différents types de commissaires des romans policiers français.

homme bien établi avec une clientèle à Londres, et il n'abandonnerait pas ces avantages pour un poste de médecin de campagne. Si donc notre visiteur travaillait dans un hôpital sans être un patron, nous avons affaire à un interne en médecine ou
75 en chirurgie à peine plus âgé qu'un étudiant. Il a quitté ses fonctions voici cinq ans : la date est gravée sur la canne. Si bien que votre médecin d'un certain âge, grave et patriarcal, disparaît en fumée, mon cher Watson, pour faire place à un homme d'une trentaine d'années, aimable, sans ambition,
80 distrait, qui possède un chien favori dont j'affirme qu'il est plus gros qu'un fox-terrier et plus petit qu'un dogue. »

Arthur Conan Doyle, *Le Chien des Baskerville*, R. Laffont.

Réfléchissons

1. La méthode de Holmes. En quoi consiste-t-elle ? Quel est son fondement ? Recherchez les mots importants dans le texte.

2. Le personnage du détective. Relevez les détails qui le caractérisent : son physique, ses habitudes, son caractère...

3. Le docteur Watson. Que pensez-vous de ses déductions ? Sont-elles plausibles ? Pourquoi ne sont-elles pas exactes ?

4. L'humour. Où apparaît-il ? Quel effet produit-il ?

5. Les rapports entre Holmes et Watson. Les deux personnages s'opposent et Watson est en fait le repoussoir de Holmes. Relevez dans le texte les détails qui indiquent ces rapports.

Imaginons

1. Essayez de composer d'après ce modèle une seconde conversation entre Holmes et Watson. Le détective, bien sûr, appliquera la méthode que vous avez précisée.

2. Vous inventez une histoire. La canne examinée par Holmes en sera l'élément central.

Jouons la scène

Pour bien interpréter cette scène, il faut tenir compte de la personnalité des deux personnages.

Recherchons

« C.C.H. » est un sigle. Mais les initiales peuvent prêter à de fausses interprétations. Voici d'autres sigles : S.N.C.F., R.A.T.P., H.L.M., S.O.S., P.D.G., U.R.S.S., G.D.F., R.E.R. Connaissez-vous leur signification ? Vous en chercherez d'autres dont vous donnerez la « traduction ». Vous pouvez aussi vous amuser à écrire un petit texte dans lequel vous en emploierez un grand nombre.

« C'EST UN GRAND MALHEUR ! »

Sainclair se trouve en compagnie de son ami, le jeune reporter Joseph Rouletabille, près de Menton, dans un château fort où séjournent Mathilde Stangerson, la Dame en noir, et son mari Robert Darzac, chez des amis. Rouletabille a reçu un appel au secours de Mathilde. Une nuit...

Nous nous tenions là, immobiles, depuis cinq minutes, quand un soupir - ah ! ce long, cet affreux soupir ! - un gémissement profond comme une expiration, comme un souffle d'agonie[1], une plainte sourde, lointaine comme la vie qui s'en va, proche
5 comme la mort qui vient, nous arriva par cette fenêtre et passa sur nos fronts en sueur. Et puis, plus rien... non, on n'entendait plus rien que le mugissement intermittent[2] de la mer, et, tout à coup, la lumière de la fenêtre s'éteignit. La tour Carrée, toute noire, rentra dans la nuit. Mon ami et moi nous nous étions
10 saisi la main et nous nous commandions ainsi par cette communication muette, l'immobilité et le silence. Quelqu'un mourait, là, dans la tour ! Quelqu'un qu'on nous cachait ! Pourquoi ? Et qui ? Qui ? Quelqu'un qui n'était ni Mme Darzac, ni M. Darzac, ni le père Bernier, ni la mère Bernier, ni, à n'en
15 point douter, le vieux Bob : quelqu'un qui ne pouvait pas être dans la tour.

Penchés à tomber au-dessus du parapet[3], le cou tendu vers cette fenêtre qui avait laissé passer cette agonie, nous écoutions encore. Un quart d'heure s'écoula ainsi... un siècle. Je compris.
20 Il fallait éteindre cette lumière et redescendre. Je pris mille précautions ; cinq minutes plus tard, j'étais revenu près de Rouletabille. [...]

J'avais eu à peine le temps de me glisser auprès de Rouletabille, dans l'encoignure[4] de la tour et du parapet, poste
25 d'observation qu'il n'avait point quitté, que nous entendions

1. Agonie : approche de la mort.
2. Intermittent : qui s'arrête et qui reprend.
3. Parapet : petit mur de protection.
4. Encoignure : coin.

distinctement la porte de la tour Carrée qui tournait avec précaution sur ses gonds. [...]

Je regardai par-dessus la tête de mon ami, et voici ce que je vis : d'abord, le père Bernier, bien reconnaissable malgré
30 l'obscurité, qui, sortant de la tour, se dirigeait sans faire aucun bruit du côté de la poterne du jardinier. Au milieu de la cour il s'arrêta, regarda du côté de nos fenêtres, le front levé sur le château Neuf, et puis il se retourna du côté de la tour et fit un signe que nous pouvions interpréter comme un signe de
35 tranquillité. A qui s'adressait ce signe ? Rouletabille se pencha encore ; mais il se rejeta brusquement en arrière, me repoussant.

Quand nous nous risquâmes à regarder à nouveau dans la cour, il n'y avait plus personne. Enfin nous vîmes revenir le
40 père Bernier, ou plutôt nous l'entendîmes d'abord, car il y eut entre lui et Mattoni une courte conversation dont l'écho assourdi nous arrivait. Et puis nous entendîmes quelque chose qui grimpait sous la voûte de la poterne[5] du jardinier, et le père Bernier apparut avec, à côté de lui, la masse noire et tout
45 doucement roulante d'une voiture. Nous distinguions bientôt que c'était la petite charrette anglaise, traînée par Toby, le poney d'Arthur Rance[6]. [...]

Les deux personnages qui étaient sortis de la tour et s'étaient approchés de la voiture parurent si surpris qu'ils eurent un
50 moment de recul. Mais nous entendions très bien la Dame en noir prononcer cette phrase à voix basse : « Allons, du courage, Robert, il le faut ! » Plus tard, nous avons discuté avec Rouletabille pour savoir si elle avait dit : « il le faut » ou « il en faut », mais nous ne pûmes point conclure.

55 Et Robert Darzac dit d'une voix singulière : « Ce n'est point ce qui me manque. » Il était courbé sur quelque chose qu'il traînait et qu'il souleva avec une peine infinie et qu'il essaya de glisser sous la banquette de la petite charrette anglaise. Rouletabille avait retiré sa casquette et claquait littéralement[7]
60 des dents. Autant que nous pûmes la distinguer, la chose était un sac. Pour remuer ce sac, M. Darzac avait fait de gros efforts, et nous entendîmes un soupir. Appuyée contre le mur de la tour, la Dame en noir le regardait, sans lui prêter aucune aide. Et soudain, dans le moment que M. Darzac avait réussi à
65 pousser le sac dans la voiture, Mathilde prononça, d'une voix sourdement épouvantée, ces mots : « Il remue encore !... – C'est la fin !... » répondit M. Darzac qui, maintenant, s'épon-

geait le front. Sur quoi il mit son pardessus et prit Toby par la bride. Il s'éloigna, faisant signe à la Dame en noir, mais celle-ci,
70 toujours appuyée à la muraille comme si on l'avait allongée là pour quelque supplice, ne lui répondit pas. M. Darzac nous parut plutôt calme. Il avait redressé la taille. Il marchait d'un pas ferme... on pouvait dire d'un pas d'honnête homme conscient d'avoir accompli son devoir. Toujours avec de
75 grandes précautions, il disparut avec sa voiture sous la poterne du jardinier et la Dame en noir rentra dans la tour Carrée.

Je voulus sortir de notre coin, mais Rouletabille m'y maintint énergiquement. Il fit bien, car Bernier débouchait de la poterne et retraversait la cour, se dirigeant à nouveau vers la tour
80 Carrée. Quand il ne fut plus qu'à deux mètres de la porte qui s'était refermée, Rouletabille sortit lentement de l'encoignure du parapet, se glissa entre la porte et Bernier effrayé, et mit les mains au poignet du concierge.

« Venez avec moi », lui dit-il.

85 L'autre paraissait anéanti. J'étais sorti de ma cachette, moi aussi. Il nous regardait maintenant dans le rayon bleu de la lune, ses yeux étaient inquiets et ses lèvres murmurèrent :

« C'est un un grand malheur ! »

Gaston Leroux, *Le Parfum de la Dame en noir*, Livre de poche.

Comprenons le texte

1. Comment l'angoisse du premier paragraphe est-elle rendue ? Notez la ponctuation : quels sentiments traduisent tous ces points d'interrogation ?

2. Qu'est-ce qui montre l'émotion de Mathilde ? Comparez son attitude et ses sentiments avec ceux de Darzac.

3. Quels sont les éléments qui contribuent au mystère ?

4. Notez l'attitude de Rouletabille dans ce passage. Qu'éprouve-t-il ?

---

5. Poterne : petite porte donnant sur le fossé.

6. Arthur Rance : ami des Darzac.

7. Littéralement : absolument.

5. Quel est ici le rôle du narrateur ? Comparez avec le docteur Sheppard.

6. Pouvez-vous, en relisant attentivement cet extrait, deviner de quel « grand malheur » il s'agit dans la dernière phrase ?

Illustrons le texte

Si vous êtes habile, vous pourrez faire un ou plusieurs dessins reproduisant les différents moments de la scène. On peut aussi le concevoir sous forme d'une bande dessinée.

Exprimons-nous par écrit

A votre tour, essayez de raconter une aventure mystérieuse dans laquelle vous suggérerez petit à petit la solution.

« VOS CLÉS, OU JE VOUS TUE ! »

Dès le commencement de leur premier roman, Pierre Souvestre et Marcel Allain définissent eux-mêmes le personnage de Fantômas :

- « Fantômas !
- Vous dites ?
- Je dis... Fantômas.
- Cela signifie quoi ?
- Rien... et tout.
- Pourtant, qu'est-ce que c'est ?
- Personne... mais cependant quelqu'un.
- Enfin, que fait-il, ce quelqu'un ?
- Il fait peur... »

Fantômas, en effet, apparaît comme un héros du mal, un virtuose du crime qui réussit toujours à échapper à toutes les arrestations, à détruire toutes les preuves, à bénéficier d'une éternelle impunité. Il représente à la fois toutes les classes de la société, il est partout présent en même temps pour affoler, intriguer et tuer. La force de Fantômas c'est l'impossibilité de le cerner, de le combattre. Il est l'incarnation du Mal, sans pour autant être une abstraction car toutes ses machinations demeurent scientifiquement explicables.

Dans ce passage, tiré du Fiacre de nuit, *Monsieur Chapelard, riche propriétaire d'un grand magasin, est inquiet : il a cru voir bouger une de ses armures ! Il faut dire que depuis la disparition d'une de ses vendeuses, Raymonde, il se passe dans son magasin des accidents bien fâcheux et M. Chapelard a peur. Il saisit alors son revolver et fait feu.*

Les six balles atteignirent l'armure, glissèrent sur son acier damasquiné, ricochèrent dans les coins de la galerie, crevant les tableaux, brisant les statues... l'armure, l'armure vivante avançait toujours !...

5 Alors, désarmé, M. Chapelard attendit...

Il n'attendit pas longtemps. Du masque de fer, d'entre les

bords rapprochés de la visière une voix, une voix d'homme, une voix bien timbrée qui ne tremblait aucunement, gouailla :

- Est-ce bien fini cet essai de tir ? Etes-vous persuadé, M. Chapelard, que, pour une fois, vos armures antiques sont de bonne qualité, d'excellente trempe et à l'abri de votre browning ?... Oui ? Alors causons...

M. Chapelard hurla, d'une voix qu'il s'efforçait de raffermir :

- Qui êtes vous ? que me voulez-vous ?... mon domestique est à côté, partez ou j'appelle au secours... fuyez...

Il n'achevait pas...

Du ton railleur qu'il avait adopté, l'inconnu masqué coupait la parole à M. Chapelard :

- Tout beau ! disait-il, tout beau ! vous vous conduisez comme un enfant. Qui je suis ? Ce que je veux ? La menace de vos serviteurs ! M. Chapelard, vous manquez d'esprit d'à-propos. D'abord vos serviteurs ne viendront pas à votre secours pour la bonne raison qu'ils ont bu du chloral mélangé à leur vin et qu'ils dorment en ce moment à poings fermés, Baptiste comme les autres... qui je suis ? Peuh ! vous le saurez toujours assez tôt...

M. Chapelard, à son tour, interrompit :

- Que voulez-vous ?

- Ce que je veux... hum, cela est plus net, c'est plus intelligent...

L'inconnu changeait de ton, prenait une voix rude, impérieuse, autoritaire, pour ordonner :

- Vos clés ! Donnez-moi les clés de votre coffre-fort !

- Mais, commença M. Chapelard...

- J'ai dit : donnez-moi vos clés, je ne répète jamais une phrase, vos clés, ou je vous tue !...

Tant d'autorité se dégageait de l'attitude de l'invisible inconnu toujours inidentifiable, revêtu qu'il était de l'armure, que M. Chapelard n'osa pas résister :

Après tout, que faisait à son immense fortune un vol si immense qu'il fût ! (...)

- Ma foi, M. Chapelard, (...) je suis persuadé que nous arriverons maintenant à nous entendre... Parbleu, nous ne sommes pas des imbéciles, n'est-il pas vrai ?

- Que voulez-vous encore ? haleta M. Chapelard, qui à cet exorde imprévu s'effrayait de nouveau.

- Bah, vous allez l'apprendre, mais en vérité vous êtes tout pâle, hum ! le vilain visage que vous faites... qu'avez-vous

Le retour de flamme, *toile de Robert Magritte peinte en 1943. Fantômas y est représenté dominant Paris.*

donc ?... Peur ? Vous avez peur ? Quel dommage ! Croyez que je compatis à vos malheurs, M. Chapelard... allons, vous serez mieux pour causer si vous êtes assis... asseyez-vous !... je vous permets de vous asseoir !...

L'inconnu, qui semblait aussi maître de lui que M. Chapelard de son côté était bouleversé et ému, avançait un siège sur lequel le millionnaire, à bout de forces, en effet, et désormais incapable de résister, se laissait tomber.

L'inconnu railla encore :

- Là !... déclarait-il, vous êtes mieux ? vous êtes plus « confortable » ? Oui ?... j'en suis enchanté... Causons donc !

- Mais que voulez-vous ? Qui êtes-vous ?...

- Vous demandez trop de choses à la fois... Bah, puisqu'après tout vous êtes si curieux que cela et qu'il m'est possible, en vous renseignant, de vous faire un grand plaisir, je ne vois pas pourquoi je vous refuserais cette joie. Qui je suis, Monsieur Chapelard ?... Vous devez connaître mon nom : je me présente.

La voix de l'inconnu jusqu'alors avait eu des inflexions douceâtres, moelleuses ; c'était d'un ton rauque, d'une voix métallique qu'il articulait :

- Je suis Fantômas !

- Fantômas !

Au nom d'épouvante Monsieur Chapelard, secoué d'une terreur insensée, s'était dressé debout, portant les mains à sa poitrine, comme pour y comprimer les battements désordonnés de son cœur :

- Fantômas ! vous êtes Fantômas ! râla-t-il, que me voulez-vous ?...

Fantômas, car c'était bien lui, l'insaisissable, le maître de l'épouvante, qui avait pénétré dans l'appartement par la fenêtre à l'aide de l'échafaudage volant, qui s'était glissé dans l'armure pour attendre M. Chapelard au passage, Fantômas répondit :

- Ce que je veux ? Peuh ! quelque chose de très simple... de très simple, oui, mais à quoi je vous prie cependant de prêter la plus grande attention... M. Chapelard, je raillais tout à l'heure... Je change de ton maintenant, prenez-y garde, je ne ris plus, j'ordonne...

M. Chapelard était hors d'état de protester ; Fantômas continua :

- Et voici ce que je vous ordonne : immédiatement, M. Chapelard, vous allez m'indiquer où est votre vendeuse Raymonde... Raymonde que vous détenez prisonnière (...)

immédiatement, vous m'entendez, nous allons remettre Raymonde en liberté, ou...

M. Chapelard venait de s'écrouler sur le sol, à genoux,
95 devant Fantômas ; il hurla :

- Mais je vous jure que...

- Ou vous êtes mort !...

Pierre Souvestre et Marcel Allain, *Le Fiacre de nuit*, Fantômas,
Presses Pocket, 1972.

Comprenons le texte

1. Comment se manifeste la peur de M. Chapelard ? Relevez les expressions du texte.

2. Le texte peut se diviser en deux parties, lesquelles ?

3. Qu'espère M. Chapelard en donnant ses clés ? Imaginez quelle aurait dû être la conséquence logique de ce geste.

4. Relevez et justifiez les changements de ton de Fantômas.

5. De quelle façon l'auteur repousse-t-il toujours le moment de prononcer le nom de Fantômas ? Analysez comment le suspense est préservé.

6. Définissez les différents aspects sous lesquels apparaît ici Fantômas. Correspond-il à la définition qu'en ont donnée ses auteurs ?

Exerçons-nous

1. Vous pourrez essayer de représenter la scène par un ou plusieurs croquis.

2. Imaginez oralement quelle va être l'issue de la scène.

Travaillons sur le style

1. Vous avez remarqué les nombreuses interrogations du texte. Relevez-en quelques-unes et transcrivez les phrases au style indirect.

2. « Vous êtes plus confortable », dit Fantômas. Que devrait-il dire ? Retrouvez d'autres formules de ce genre que vous rectifierez.

Comparons

Fantômas présente-t-il des ressemblances avec certains héros dont nous vous avons parlé ?

LES PETITES CELLULES GRISES

Un meurtre a été commis et Poirot enquête, parallèlement à la police. Le docteur Sheppard l'accompagne et raconte l'histoire.

« Si ces murs pouvaient parler ! » murmurai-je.

Poirot secoua la tête.

« Il leur faudrait non seulement une langue, mais encore des yeux et des oreilles. Cependant ne croyez pas que ces objets (il effleurait en parlant le haut d'une petite bibliothèque) soient toujours muets ; ils me parlent souvent ; les chaises et les tables ont leur manière de s'exprimer. »

Il se dirigea vers la porte.

« Laquelle ? m'écriai-je. Que vous ont-elles appris aujourd'hui ? »

Il me jeta un regard moqueur par-dessus son épaule et dit :

« Une fenêtre ouverte, une porte fermée, une bergère qui a bougé toute seule, j'ai demandé pourquoi à ces trois objets et n'ai pas reçu de réponse. »

Il secoua la tête, se gonfla la poitrine et nous regarda en clignant des yeux. Il paraissait ridiculement infatué de lui-même et je me demandai s'il était véritablement aussi habile qu'on le disait. Sa grande réputation ne s'était-elle pas établie sur une série de hasards heureux ? Je crois que le colonel Melrose dut avoir la même pensée, car il fronça les sourcils.

« Désirez-vous voir autre chose, monsieur Poirot ? demanda-t-il brusquement.

- Voudriez-vous avoir la bonté de me montrer la vitrine où l'arme a été prise ? Ensuite je n'abuserai pas davantage de votre complaisance. »

Nous nous dirigeâmes vers le salon, mais, en chemin, le constable[1] arrêta le colonel et lui parla à voix basse, sur quoi Melrose nous laissa seuls, Poirot et moi. Je montrai la vitrine à mon voisin qui en souleva le couvercle une ou deux fois, puis ouvrit la porte-fenêtre et passa sur la terrasse. Je l'y suivis. L'inspecteur Raglan tournait justement le coin de la maison et se dirigeait vers nous. Son visage avait revêtu une expression à la fois sévère et satisfaite.

« Ah ! vous voici, monsieur Poirot, dit-il. Cette affaire ne va pas être bien compliquée ; j'en suis navré et je déplore de voir mal tourner un gentil garçon ! »

La figure de Poirot s'assombrit et il répondit doucement :

« Alors je crains de ne pas vous être très utile.

- Ce sera pour une autre fois, répondit l'inspecteur d'un ton
40 encourageant, bien que, dans ce calme pays, nous n'avons pas souvent à nous occuper de meurtres. »

Le regard de Poirot parut se nuancer d'admiration.

« Vous avez abouti avec une promptitude[2] merveilleuse, observa-t-il. Puis-je vous demander quel procédé vous avez
45 employé ?

- Certainement, répondit l'inspecteur. Pour commencer, il faut de la méthode ; c'est ce que je proclame toujours : de la méthode !

- Ah ! s'écria son interlocuteur. C'est aussi ma devise. De la
50 méthode, de l'ordre, et puis la mise en action des petites cellules grises.

- Des cellules ? demanda l'inspecteur en le regardant avec surprise.

- Oui, les petites cellules grises du cerveau, expliqua Poirot.

55 - Ah ! oui ; mais je suppose que nous nous en servons tous.

- A un degré plus ou moins grand, murmura Poirot. Il y a également des différences de qualité ; puis il y a la psychologie du crime qu'il faut étudier...

- Êtes-vous imbu de toutes ces idées de psychanalyse ?
60 demanda l'inspecteur. Moi qui suis un homme ordinaire...

- Je suis certain que Mme Raglan n'est pas de cet avis », dit Poirot en s'inclinant.

L'inspecteur Raglan, un peu déconcerté, lui rendit son salut et reprit avec un large sourire :

65 « Vous ne me comprenez pas. Quelle différence peuvent présenter les mêmes mots ! Je voulais vous expliquer comment je suis arrivé à un résultat. De la méthode tout d'abord : M. Ackroyd a été vu encore vivant pour la dernière fois, à 9 heures 45, par sa nièce, Miss Flora Ackroyd. C'est là un point, n'est-ce
70 pas ?

- Si tel est votre avis...

- C'est mon avis. A 10 heures 30, le docteur a déclaré que M. Ackroyd était mort depuis au moins une demi-heure ; vous maintenez cette affirmation, docteur ?

75 - Certainement ; une demi-heure au moins.

- Très bien. Cela nous donne, à un quart d'heure près, l'heure

---

1. Constable : officier de police anglais. 2. Promptitude : rapidité.

à laquelle le crime a été commis. J'ai fait une liste de toutes les personnes qui étaient dans la maison, en mettant en regard l'endroit où elles se trouvaient et leur occupation entre 9 heures 80 45 et 10 heures. »

Il tendit à Poirot une feuille de papier que je lus par-dessus l'épaule du détective.

[...] « Voilà une liste fort bien faite », dit Poirot en la rendant à l'inspecteur ; puis il ajouta : « Je suis absolument sûr que Parker 85 n'est pas coupable.

- Ma sœur aussi, interrompis-je, et elle se trompe rarement. »

Mais ils ne firent pas attention à mes paroles.

« Mes constatations mettent quasi complètement hors de cause les personnes qui se trouvaient dans l'habitation, 90 continua l'inspecteur, mais nous arrivons à un fait grave. La concierge du parc, Mary Black, fermait ses rideaux hier soir, lorsqu'elle vit Ralph Paton franchir la grille et se diriger vers la maison.

- En est-elle sûre ? demandai-je vivement.

95 - Tout à fait sûre, car elle le connaît bien. Il passa très vite et prit, à droite, le sentier qui conduit à la terrasse.

- Quelle heure était-il ? demanda Poirot dont le visage demeurait impassible.

- Exactement neuf heures vingt-cinq », répondit gravement 100 l'inspecteur.

Il y eut un silence, puis Raglan reprit la parole :

« Tout est limpide et s'explique aisément. A neuf heures vingt-cinq, le capitaine Paton est vu entrant dans le parc ; à neuf heures et demie environ, M. Geoffroy Raymond entend 105 quelqu'un demander à M. Ackroyd de l'argent et celui-ci refuser. Que se passe-t-il ensuite ? Le capitaine Paton est sorti comme il était entré, par la fenêtre et s'est promené, furieux et désappointé[3], le long de la terrasse. Il est arrivé à la porte-fenêtre du salon ; il pouvait être dix heures moins un quart. 110 Miss Flora Ackroyd était allée dire bonsoir à son oncle ; le major Blunt, M. Raymond et Mme Ackroyd se trouvaient dans la salle de billard. Le salon était vide, Paton y est entré, a pris le poignard dans la vitrine et il est retourné jusqu'à la fenêtre du cabinet de travail. Il l'a escaladée, puis... je n'ai pas besoin 115 d'entrer dans les détails. Ensuite, il est sorti, est parti, mais n'a pas eu le courage de retourner à l'auberge. Il s'est rendu à la gare et a téléphoné...

- Pourquoi ? » demanda Poirot.

Je sursautai. Le petit homme se penchait en avant et ses yeux
120 brillaient d'un étrange éclat.

Pendant un moment, l'inspecteur Raglan parut décontenancé[4] ; il répondit enfin :

« Il est difficile d'expliquer exactement la raison de cet acte ; mais les assassins se conduisent parfois d'une manière si
125 déconcertante ! Vous sauriez cela si vous étiez dans la police régulière ; les plus habiles commettent souvent d'insignes[5] maladresses. Venez avec moi, je vous montrerai les traces de pas du meurtrier. »

Agatha Christie, *Le Meurtre de Roger Ackroyd*,
Librairie des Champs-Elysées, 1927.

Réfléchissons ensemble

1. Le personnage de Poirot. Comment se comporte-t-il ? Pouvez-vous définir son caractère d'après son attitude ?

2. La méthode de Poirot. Vous la définirez pour la comparer à celle de Holmes. Y a-t-il, selon vous, des ressemblances ? En quoi consiste son originalité ?

3. L'inspecteur Raglan. Comment apparaît-il ici ? Quelle attitude adopte-t-il vis-à-vis de Poirot ? Essayez de définir comment il le juge. Comment, de son côté, Poirot se comporte-t-il avec l'inspecteur ?

4. Le docteur. Il est aussi le narrateur. Montrez, en vous appuyant sur des éléments du texte, qu'il a à la fois un rôle subjectif (il participe et décrit ses propres sentiments) et un rôle objectif (il observe et relate les événements).

5. Définissez avec précision « psychanalyse » et « psychologie ». Expliquez ce que Poirot entend par la psychologie du crime. Trouvez d'autres termes comportant le préfixe psych- ou psycho-.

Recherchons

Essayez de vous documenter sur les petites cellules grises de notre cerveau.

Racontons

Rentré chez lui, Poirot note sur son journal de bord le compte rendu de sa journée et ses impressions sur les différents personnages.

---

3. Désappointé : déçu.
4. Décontenancé : dans un grand embarras.
5. Insignes : remarquables.

« QUESTION D'ATMOSPHÈRE »

Avec Simenon on pénètre dans un genre de roman policier plus intérieur. Maigret évolue dans un cadre précis, bien détaillé. Avec lui, on est plongé dans la vie quotidienne d'une certaine catégorie sociale ou professionnelle.

Ici, Maigret enquête sur une série de crimes mystérieux, à Concarneau. Il se pénètre de l'ambiance et de la vie secrète des habitués d'une salle de café. Il visite en compagnie de son adjoint, Leroy, la chambre d'Emma, la fille de salle du café.

La fenêtre était ouverte. L'air était frais, mais on y sentait des caresses de soleil. Une femme en avait profité pour mettre du linge à sécher à sa fenêtre, de l'autre côté de la venelle. Dans une cour d'école, quelque part, vibrait une rumeur de récréation.

5 Et Leroy, assis au bord du petit lit de fer, remarquait :

« Je ne comprends pas encore tout à fait vos méthodes, commissaire, mais je crois que je commence à deviner... »

Maigret le regarda de ses yeux rieurs, envoya dans le soleil une grosse bouffée de fumée.

10 « Vous avez de la chance, vieux ! Surtout en ce qui concerne cette affaire, dans laquelle ma méthode a justement été de ne pas en avoir... Si vous voulez un bon conseil, si vous tenez à votre avancement, n'allez surtout pas prendre modèle sur moi, ni essayer de tirer des théories de ce que vous me voyez faire...

15 - Pourtant... je constate que maintenant vous en arrivez aux indices matériels, après que...

- Justement, après ! Après tout ! Autrement dit, j'ai pris l'enquête à l'envers, ce qui ne m'empêchera peut-être pas de prendre la prochaine à l'endroit... Question d'atmosphère...
20 Question de têtes... Quand je suis arrivé ici, je suis tombé sur une tête qui m'a séduit et je ne l'ai plus lâchée... »

Mais il ne dit pas à qui appartenait cette tête. (...)

Le commissaire fouilla encore la pièce, par acquit de conscience, mais ne trouva rien d'intéressant. Un peu plus tard,
25 il était au premier étage, poussait la porte de la chambre 3, celle dont le balcon domine le port et la rade.

Le lit était fait, le plancher ciré. Il y avait des serviettes propres sur le broc.

L'inspecteur suivait des yeux son chef avec une curiosité mêlée de scepticisme[1]. Maigret, d'autre part, sifflotait en regardant autour de lui, avisait une petite table de chêne posée devant la fenêtre et ornée d'un sous-main réclame et d'un cendrier.

Dans le sous-main, il y avait du papier blanc à en-tête de l'hôtel et une enveloppe bleue portant les mêmes mentions. Mais il y avait aussi deux grandes feuilles de papier buvard, l'une presque noire d'encre, l'autre à peine tachetée de caractères incomplets.

« Allez me chercher un miroir, vieux !

- Un grand ?

- Peu importe ! Un miroir que je puisse poser sur la table. »

Quand l'inspecteur revint, il trouva Maigret campé sur le balcon, les doigts passés dans les entournures de son gilet, fumant sa pipe avec une satisfaction évidente.

« Celui-ci conviendra ?... »

La fenêtre fut refermée. Maigret posa le miroir debout sur la table et, à l'aide de deux chandeliers qu'il prit sur la cheminée, il dressa vis-à-vis la feuille de papier buvard.

Les caractères reflétés dans la glace étaient loin d'être d'une lecture facile. Des lettres, des mots entiers manquaient.

Il fallait en deviner d'autres, trop déformés.

« J'ai compris ! dit Leroy d'un air malin.

- Bon ! alors, allez demander au patron un carnet de comptes d'Emma... ou n'importe quoi écrit par elle... » (...)

« Voici le carnet de la blanchisseuse, qu'Emma tenait à jour ! annonça Leroy.

- Je n'en ai plus besoin... La lettre est signée... Regardez ici... « mma »... Autrement dit : Emma... Et la lettre a été écrite dans cette chambre !...

- Où la fille de salle retrouvait le docteur ? » s'effara l'inspecteur. (...)

« Dans ce cas ce serait elle qui... ?

- Doucement ! Doucement, petit ! Pas de conclusions hâtives ! Et surtout pas de déductions ! » (...)

---

1. Scepticisme : action de douter.

65 Dans le café, Maigret commanda un marc du pays, qu'il dégusta avec un visible plaisir tout en lançant aux journalistes : « Cela se tire, messieurs !... Ce soir, vous pourrez regagner Paris... »

Georges Simenon, *Le Chien jaune,* Denoël.

Observons le texte

1. Quelle est l'attitude de Maigret vis-à-vis de son adjoint ?

2. Comment le commissaire définit-il sa méthode ? Quelle est son originalité ? Vous comparerez avec la façon de faire des autres enquêteurs présentés dans les autres textes.

3. Quel est le rôle de Leroy dans ce passage ? Quelle est son attitude ?

4. Relevez les notations qui concernent « l'atmosphère ».

5. Essayez de présenter un portrait moral du commissaire Maigret.

Rédigeons

1. Imaginez que Leroy raconte la scène à un collègue.

2. Décrivez la scène qui se déroule après la déclaration du commissaire, dans la salle du café. Vous essayerez de mettre l'accent sur l'ambiance qui y règne.

Jean Richard dans le rôle du commissaire Maigret lors des séries télévisées.

« MAIS, ENFIN, VÉRONE... ! »

Dans ses romans, Exbrayat situe avec précision et détails ses actions. Le cadre, la nature même des personnages influencent de façon sensible leur comportement. Mais, à la différence de Simenon, l'humour tient une place importante et l'affrontement de deux races donne souvent lieu à des situations cocasses.

Cyrus A. William Leacok, criminologue américain, entreprend avant son mariage des études en Europe. Il se rend à Vérone où il va rencontrer le commissaire Tarchinini.

Quand il entra dans le bureau de Tarchinini, Leacok marqua un temps d'arrêt, se demandant s'il n'était pas victime d'une illusion. A peine avait-il franchi le seuil qu'un petit homme replet[1], au cheveu calamistré[2], à la moustache aux pointes
5 relevées et cirées, une énorme chevalière à la main gauche, une autre bague ornée d'une pierre de couleur à la main droite, vêtu d'un complet noir des plus cérémonieux dont le côté funèbre était relevé par la blancheur d'un gilet de piqué blanc, chaussé de souliers vernis éblouissants accompagnés de guêtres[3] d'une
10 blancheur immaculée, portant une cravate abondante piquée d'un monstrueux fer à cheval où s'égrenaient trois ou quatre perles fines et jaillissant d'un col raide, se levait précipitamment de derrière le bureau pour se jeter dans ses bras, lui tapant sur les épaules, lui étreignant les mains avec tant d'émotion, de
15 plaisir, d'enthousiasme que Cyrus A. William se demanda avec angoisse si cet olibrius[4] n'allait pas l'embrasser. De sa voix froide, (...) il interrogea :

- Le commissaire Tarchinini ?

- Lui-même pour vous servir ! C'est un honneur pour moi
20 que de vous recevoir, de vous offrir mon amitié et de vous dire fièrement : Vous pouvez compter sur votre ami Tarchinini qui donnera sa vie pour vous si le besoin s'en fait sentir ! Un cigare ?

- Merci, je ne fume pas.

25 - Ça, par exemple ! On m'a bien raconté que les Américains

---

1. Replet : grassouillet.
2. Calamistré : ondulé et recouvert de brillantine.
3. Guêtres : morceaux de toile qui couvrent le bas de la jambe et le dessus de la chaussure.
4. Olibrius : individu au comportement bizarre.

sont des excentriques mais... ne pas fumer ! A quoi passez-vous donc votre temps alors ?

- A travailler, monsieur le commissaire.

- Mais, moi aussi, je travaille et ça ne m'empêche pas de 30 fumer ! Enfin, chacun ses idées, hein ? Asseyez-vous, je vous prie.

Leacok fut presque porté dans un fauteuil qui se trouvait devant le bureau tandis que son hôte regagnait son propre siège. Profitant de ce que le commissaire s'installait et allumait un 35 cigare, l'Américain précisa :

- Je me nomme Cyrus A. William Leacok.

- Je sais, je sais...

- Vous me connaissiez ?

- Pardon ?

40 - Je demande si vous me connaissiez avant que je ne me présente à vous ?

- Ma foi... non. J'aurais dû ?

- C'est-à-dire que j'ai écrit plusieurs ouvrages sur la législation criminelle...

45 - Oh ! moi, vous savez, sorti de nos poètes et de Shakespeare, je ne lis pas grand-chose.

- Je ne pense pas que les poètes ni même Shakespeare puissent être d'un grand secours dans la solution d'un problème criminel ?

50 - Détrompez-vous, les crimes ont presque toujours l'amour pour mobile. On est sur terre pour aimer, être aimé ou pour se consumer en amours impossibles et ici plus que n'importe où ailleurs !

- Pourquoi ?

55 - Comment, pourquoi ? Mais parce que nous sommes à Vérone !

- Et alors ?

Pour la première fois depuis le début de leur entretien, le commissaire laissa voir un net désarroi :

60 - Mais, enfin, Vérone... !

L'air incompréhensif de l'Américain troubla profondément Tarchinini et ce fut presque à voix basse qu'il dit :

- Voyons, monsieur Leacok... Roméo ? Giulietta ?

- Roméo ?... Ah ! oui ! Shakespeare, n'est-ce pas ?

65 L'Italien parut délivré. On devinait qu'il avait craint, un moment, que ce personnage d'outre-Atlantique n'eût jamais entendu parler des deux célèbres amoureux.

- Shakespeare et Vérone.

A son tour, Cyrus A. William sourit :

70 - Mais, commissaire, ce sont des personnages de théâtre ?

- Erreur ! Ils sont vivants, éternellement vivants. (...)

- *Ridiculous !*

– C'est la vie qui serait ridicule, pour nous autres, gens de Vérone, si nous cessions subitement de croire à l'existence 75 éternelle de Roméo et de Giulietta !

- Et ce sont, sans doute, vos fantômes – comme vous dites – qui vous aident à rechercher le coupable d'un meurtre, par exemple ?

- Parfaitement.

80 Leacok rougit de colère et grogna :

- *You are laughing at me ?*

– Pardon ?

- Je vous demande si vous vous fichez de moi, signor Tarchinini ?

85 - Mais pas le moins du monde ! Comprenez-moi, signor Leacok ! Du moment que Vérone est imprégnée d'amour, que l'amour est la chose essentielle, comment voulez-vous que les crimes n'aient pas leurs motifs dans l'amour ?

- Si je vous suis bien, qu'un voyou étrangle une vieille 90 femme, qu'un truand assassine un rentier pour le voler, le responsable, c'est d'abord l'amour ?

- Je suis heureux de voir que vous m'avez compris !

- Et vous arrivez quelquefois à attraper les criminels ?

Ignorant la raillerie de la question, le commissaire répliqua :

95 - Toujours, signor Leacok. Vérone est une des rares villes d'Italie d'où l'on ne s'échappe pas !

- A cause de l'amour, bien entendu ?

- Bien entendu. Le criminel est généralement enchaîné avant que nous ne l'arrêtions.

100 Cyrus A. William se leva et, très raide :

- Signor commissaire, j'ai étudié à fond les méthodes de la police criminelle des États-Unis, j'ai vécu des mois dans l'ambiance studieuse de Scotland Yard, j'ose dire que les règlements appliqués en Allemagne, en Suisse et en Hollande 105 n'ont plus de secrets pour moi, je reconnais que les habitudes de la police française m'ont quelque peu désorienté, je croyais avoir découvert à travers la police espagnole ce qu'on faisait de pire sur le vieux continent, mais jamais, vous entendez ? jamais, je n'ai entendu pareil ensemble de sottises que celui que vous

110 venez de me débiter ! C'est proprement incroyable ! Vous paraissez ignorer, signor commissaire, que la recherche criminelle est une science où le laboratoire joue le rôle essentiel ! Il faudrait que vous veniez aux States pour visiter nos organisations ! Nous n'avons pas de fantômes, nous, signor 115 commissaire !

- Qu'est-ce qu'ils y feraient ?

- *What ?*

- Je dis, signor Leacok, que les États-Unis n'offrent pas un climat qui convient aux fantômes... Ces derniers ont besoin de 120 vieux murs, de ruelles sales, de châteaux délabrés... Les fantômes sont tués par l'hygiène... Il faut aussi qu'on croie en eux...

- Si vous voulez mon avis, signor Tarchinini, il est temps que votre pays prenne des leçons...

125 - Il en a si longtemps donné au monde, signore, qu'on ne saurait plus rien lui apprendre... surtout par les nouveaux venus, fussent-ils plus riches de zèle que de tact. Signor Leacok, je voudrais vous demander de ne pas juger avant d'avoir observé...

130 D'un geste emphatique[5], il montra la fenêtre :

- Regardez ! Le soir tombe sur Vérone et un soir de printemps encore !

- Comme partout ailleurs en Europe occidentale, j'imagine ?

135 - Non, signore, pas comme partout ! Chez nous, la nuit ressemble à un velours. La nuit de Vérone est un rideau de théâtre que Dieu relève ou abaisse, mais le spectacle est derrière le rideau. Tout à l'heure, je vous montrerai les acteurs car toute la ville joue, mais chacun est à soi-même son propre acteur et 140 son propre spectateur.

- Passe encore pour les jeunes, mais les vieux...

- Les vieux comme les jeunes, signore, car les premiers sont jeunes de toute la jeunesse de l'amour et les seconds sont vieux de toute la vieillesse de l'amour...

145 - Signor commissaire, je n'aurais jamais pensé, en entrant dans votre bureau, que j'y entendrais une dissertation sur l'amour.

- A Vérone, signore, il est difficile de parler d'autre chose.

---

5. Emphatique : solennel.

- Aux États-Unis, nous avons la réputation d'être directs et
150 de ne pas dissimuler nos sentiments. Aussi, vous voudrez bien m'excuser, signor Tarchinini, si je vous déclare que vous me semblez être à un policier ce que, chez nous, un enfant est à un de nos policemen.

- Vous m'en voyez ravi, signore ! Je détesterais ressembler à
155 un policier !

Charles Exbrayat, *Chewing-gum et spaghetti*,
Librairie des Champs-Élysées, 1959.

Réfléchissons sur le texte

1. Pourquoi Leacok pense-t-il être « victime d'une illusion », lorsqu'il entre dans le bureau du commissaire ?

2. Qu'est-ce qui fait l'originalité du commissaire ?

3. Quels sont les sentiments et les impressions de Leacok face à ce personnage ?

4. A quel moment le commissaire est-il à son tour surpris ? Pourquoi s'inquiète-t-il ?

5. Quelle est la grande théorie de Tarchinini ? Qu'en pense le criminologue ?

6. Comparez, en les opposant, les caractères des deux hommes.

7. L'humour du texte. Y avez-vous été sensible ? A quels moments ?

Rédigeons

1. Vous avez rencontré un personnage qui ne correspondait pas du tout à l'image que vous vous en étiez faite. Rédigez son portrait en faisant part de vos impressions.

2. Imaginez, dans une situation donnée, la rencontre de deux personnages aux caractères totalement opposés. Racontez.

Recherchons

Vérone est la ville de Roméo et Juliette. Vous rechercherez des documents (photos, textes) sur la ville et la légende des deux amoureux célèbres. Vous pourrez retrouver la pièce de Shakespeare et en lire quelques scènes.

Il vous sera possible d'étendre votre recherche aux autres couples célèbres dans l'histoire ou la littérature. Plusieurs professeurs (dessin, langues, histoire, lettres...) pourront vous aider.

« VOULEZ-VOUS OUVRIR LE COFFRE ? »

Florence Gersaint décide de quitter son mari et part rejoindre un ami, René, à Nice. Mis au courant de cette liaison, le mari, Paul Gersaint, journaliste, se dirige lui aussi vers la côte. Il est suivi par des extrémistes qui l'assassinent et déposent son cadavre dans le coffre de la voiture de René et Florence. Ceux-ci, en route vers Paris, apprennent le crime par la radio, puis, plus tard, que leur voiture est recherchée.

« Je comprends ce qui s'est passé, dit [René]. Ton mari a été tué presque au moment où j'entrais dans le garage. C'est ma présence qui a dû gêner le meurtrier. Il a cherché à cacher le corps, a vu ma voiture et l'a fourré dans le coffre.
5 - Et depuis ce matin ? - Elle étouffa un sanglot sec. - Mon pauvre Paul ! murmura-t-elle.
- Nous sommes plus à plaindre que lui », dit-il.

Ils reprennent l'autoroute et tout à coup...

Le C.R.S., sur l'accotement, levait un bras, main tendue à plat, pour ordonner de ralentir. Les voitures freinaient, 10 roulaient au pas.
« Un accident ? demanda Florence.
- Souhaitons-le ! »
Ils apercevaient à quelque distance une aire de repos, des voitures arrêtées, un autre C.R.S., casqué, botté, qui se tenait à 15 l'intersection de l'autoroute et de la bretelle. Le flot les poussait doucement. La GS dépassa le carrefour. Le C.R.S. s'interposa, montra l'aire de stationnement. René, blême, stoppa. Le C.R.S. fit deux pas.
« S'il vous plaît. Contrôle. Rangez-vous là-bas. »
20 René s'engagea sur la voie de garage.
« Mon Dieu, murmura Florence. Tu vois ? »
Les voitures détournées étaient des DS blanches. Il y en avait trois qui repartaient sous l'œil d'un motard, debout près de sa

machine. Et il fallait y aller ! La route, comme un tapis roulant,
25 les rapprochait inexorablement[1]. Ils n'étaient plus que des bêtes promises au coup de merlin[2].

René s'arrêta à quelques mètres du gendarme qui les regardait venir, placide[3], sûr de sa force et de ses armes. Florence ne savait plus si elle existait. Et, en même temps, elle
30 avait une conscience aiguë de son corps, de ses mains accrochées au tableau de bord comme des mains de noyée, de son cœur qui l'étouffait. René était penché au volant. Il respirait difficilement, comme s'il avait longtemps couru. Le moteur ne tournait plus. Le silence était tel qu'ils entendirent craquer les
35 cuirs[4] du gendarme quand il se mit en marche. Il était là, bouchant la portière. On voyait son ceinturon et la crosse noire d'un pistolet dans un étui. Puis son visage apparut. Un visage si gros, soudain, si proche, que Florence eut un mouvement de recul. Un visage qui n'avait pas même l'air sévère... plutôt
40 ennuyé... des yeux bleus, des joues bien rasées, un peu de sueur aux tempes.

« Voulez-vous ouvrir le coffre ?

- Il est vide, balbutia René.

- Ça ne fait rien. Donnez-moi vos clefs.

45 - Il n'est pas fermé à clef », dit René.

On entendait les martinets[5]. La vie était encore là si proche, si douce, et on allait la perdre ! Le gendarme se redressa. Ils le virent passer, en gros plan, coupé à la ceinture ; ses godillots[6] grinçaient. Il apparut à la lunette arrière. La main de Florence
50 tâtonna, saisit le bras de René. La voiture s'affaissa un peu quand le gendarme pesa sur le coffre pour en faire jouer la serrure. Et puis le couvercle fut soulevé et masqua l'homme.

« Flo, chuchota René, ce n'est pas ma faute. »

Ils attendaient, suppliciés[7], immobiles. Et soudain ils sursau-
55 tèrent, Florence gémit. Le coffre venait de se refermer avec un claquement sec. Le gendarme s'écartait de plusieurs pas, balançait le bras.

---

1. Inexorablement : sans que rien ne puisse les sauver.
2. Merlin : instrument pour assommer les bêtes à l'abattoir.
3. Placide : calme.
4. Les cuirs : ici, les accessoires en cuir.
5. Martinets : petits oiseaux.
6. Godillots : chaussures solidement montées, du nom d'Alexis Godillot, fournisseur de l'armée.
7. Suppliciés : ici morts de peur.

« Qu'est-ce qu'il veut ? murmura Florence.
- Allez !... Dégagez !... dit l'homme.
60 - Où faut-il qu'on aille ? demanda René.
- Partez !... Vous encombrez ! »

Une autre DS blanche, qui venait d'être cueillie, s'avançait pour la fouille.

Boileau-Narcejac, *Opération Primevère*, Fayard.

Comprenons le texte

1. Relevez les expressions qui traduisent l'émotion des personnages.

2. Comment sont présentés les gendarmes ? Pourquoi insiste-t-on sur les détails de leur uniforme ?

3. Comment le suspense est-il maintenu jusqu'à la fin du texte ?

4. Pourquoi Florence et René ne comprennent-ils pas lorsque le gendarme leur fait signe de partir ?

5. Qu'y a-t-il de particulier dans le style de ce texte ? Sur quels détails insistent les auteurs ? Pourquoi ? Ces descriptions vous semblent-elles réalistes ?

Inventons et racontons

1. Que s'est-il passé ? Pourquoi le gendarme les a-t-il laissé repartir ?

2. Imaginez la scène suivante : le dialogue de Florence et René dans leur voiture. (Il faut, bien sûr, ne pas avoir lu le roman ; sinon, vous essayerez de raconter, le plus clairement possible, ce qui s'est passé.)

« GARDEZ-LA, C'EST UN CADEAU... »

Bien que de nationalité anglaise, James Hadley Chase situe la plupart de ses romans en Amérique, dans la pure tradition de la série noire. On aborde ici le roman de mœurs.

Le directeur d'un luxueux magasin d'une cité résidentielle de Californie a filmé certaines riches clientes en train de voler. Au lieu de les dénoncer à la police, il les fait chanter. Le mari de l'une d'entre elles, Manson, s'est rendu chez Gordy, le maître chanteur, où il devait récupérer le film en échange d'une importante somme d'argent. Mais, à son arrivée, il trouve Gordy assassiné. En rentrant chez lui, Manson s'aperçoit que l'on s'est servi de son revolver. Il sort pour rendre visite à sa secrétaire et lorsqu'il revient...

En m'arrêtant devant la porte de mon garage, je vis qu'une voiture de police était garée de l'autre côté de la rue. Mon cœur se mit aussitôt à cogner. Quand je sortis de mon auto pour aller ouvrir la porte du garage, un homme bâti en armoire à glace sortit de la voiture de police. C'était le sergent Lu Brenner. (5)

- Monsieur Manson ?

Je me retournai.

- Bonsoir, sergent.

- Je voudrais vous dire un mot.

- Mais certainement. Je mets ma voiture au garage. Entrez donc. (10)

Il se recula. Après avoir garé la voiture, j'éteignis les lumières, puis allai jusqu'à la porte d'entrée. Ce bref répit m'avait permis de retrouver le contrôle de mes pauvres nerfs. Nous entrâmes ensemble dans le séjour et j'allumai. (15)

- Asseyez-vous, sergent. De quoi s'agit-il ?

J'allai prendre place au bureau et il me fit face. On aurait dit que son visage bosselé avait été sculpté dans un morceau de teck. Ses petits yeux inquiets se posaient sur moi, puis regardaient tout autour de la pièce pour revenir sur moi. (20)

- Vous avez bien un automatique calibre 38, n° 4553, avec un permis qui porte le numéro 75560 ? demanda-t-il en m'observant fixement.

- Oui, sergent, j'ai un automatique. Mais quant au numéro, je l'ignore. (Je sortis mon portefeuille et en tirai le permis de port d'arme que je lui tendis. Il l'examina, puis le reposa sur le bureau.) (25)

- Où est votre arme ?
- Dans la boîte à gants de ma voiture.
30 - Je voudrais la voir.
- Pourquoi ?
- Peu importe. Allez la chercher.

Nous nous dévisageâmes pendant quelques instants.
- Avez-vous un mandat de perquisition, sergent ?

35 Il hocha la tête comme s'il était d'accord.
- Non, mais je peux en avoir un.
- Et si vous me disiez de quoi il s'agit ? Je pourrais peut-être vous aider ? Je comprends mal pourquoi vous me parlez sur ce ton, sergent.

40 Il me regarda de ses petits yeux aussi chaleureux que des éclats de glace, puis sortit de sa poche un objet qu'il posa devant moi sur le bureau. C'était une douille de balle.

C'est avec le plus grand sang-froid que je lui demandai :
- Et alors ?
45 - Déjà entendu parler de Gordy ?
- Oui, c'est le directeur du magasin Welcome.

Brenner hocha la tête.
- Exactement. Quelqu'un lui a mis une balle dans le corps et ça, c'est la douille que j'ai trouvée dans la pièce où il a été tué.

50 Je pris la douille et la fis rouler entre mes doigts. Je m'attendais à ce qu'il me la reprenne, mais il ne fit pas un geste. Je levai les yeux vers lui. Son expression était indéchiffrable.
- N'est-ce pas ce qu'on appelle un indice ? m'enquis-je.
- Exactement.

55 Je pris mon mouchoir et essuyai très soigneusement la douille, puis la tenant au creux de mon mouchoir, je la fis rouler sur mon bureau.
- Vous pouvez la reprendre.
- Gardez-la, c'est un cadeau. (Après une pause, il reprit :)
60 Gordy est hors circuit, c'est bien mieux comme ça. (Sa bouche en forme de piège à rat se plissa en un sourire sinistre.) Si vous ne vous êtes pas encore débarrassé de votre pistolet, faites-le donc et dites au commissariat qu'on vous l'a volé. En descendant cette ordure, vous avez rendu service à pas mal de
65 gens.
- Qu'est-ce qui vous fait croire que je l'ai tué, sergent ?
- Cette douille. C'est un nouveau modèle de balle. C'est vous qui avez eu la première boîte. Je ne peux pas me permettre de négliger des petits détails de ce genre.

70 - Tout ça ne veut pas encore dire que je l'ai tué.

- Essayez donc de raconter ça à un juge. (Il se dirigea vers la porte, se retourna et ajouta :) Ecoutez-moi bien. C'est le lieutenant Goldstein qui s'occupe de l'affaire. Il est là-bas en ce moment et il interroge tout le monde. Il pourrait venir vous 75 trouver. C'est moi qui étais de service quand on a téléphoné pour annoncer la nouvelle et c'est donc moi qui suis arrivé le premier sur les lieux. Il m'aime comme vous aimez le cancer.

- Je ne l'ai pas tué.

- Si vous arrivez à le prouver à Goldstein, d'accord, vous ne 80 l'avez pas tué.

Comme il s'apprêtait à repartir, je l'appelai :

- Sergent. (Il se retourna et me regarda.) Vous avez dit, et je vous cite : « En descendant cette ordure, vous avez rendu service à pas mal de gens. » Dois-je comprendre que vous faites 85 partie de ces « gens » ?

- Ne faites pas le malin, Manson. Ça pourrait vous coûter cher, dit-il avant de quitter la pièce.

Je restai là à contempler la douille puis, lorsque j'entendis sa voiture démarrer, je la mis dans ma poche.

James Hadley Chase, *Les poissons rouges n'ont pas de secret*, Gallimard, 1974.

Comprenons le texte

1. Faites à l'aide du texte le portrait physique du sergent. Que peut-on dire de son caractère ?

2. Qu'y a-t-il de surprenant dans l'attitude du sergent ? Pourquoi agit-il ainsi ?

3. Montrez l'évolution des sentiments de Manson. A partir de quel moment retrouve-t-il son sang-froid ?

4. Quelle est l'importance de la douille ?

5. Montrez qu'à un certain moment l'interrogatoire bascule : c'est Manson qui pose les questions ; pourquoi ?

6. Relevez quelques comparaisons : qu'en pensez-vous ? Qu'apportent-elles au texte ?

Rédigeons

1. Imaginez les réflexions de Manson après la sortie du sergent.

2. Imaginez l'interrogatoire de Manson par Goldstein ; relisez le texte pour tenir compte des conseils qu'a donnés le sergent.

« VOTRE GNÔLE EST LE MEILLEUR DES PASSEPORTS »

Avec Chandler, on aborde un univers assez particulier ; à côté de la police officielle, les détectives privés jouent un rôle important. C'est ici le cas de Philip Marlowe qui s'est trouvé mêlé par hasard à un crime. Le suspect était allé dans un club à la recherche d'une certaine Velma. Marlowe part à son tour pour essayer d'obtenir des renseignements sur cette femme. Il arrive chez la patronne d'une « boîte » dans laquelle Velma a travaillé.

- Madame Florian ? demandai-je. Madame Jessie Florian ?
- Hum, hum !... répondit-elle en guise d'affirmation.

Sa voix s'extirpait des profondeurs de son gosier avec autant de peine qu'un malade de son lit. (...)

5 La porte grillagée restait toujours verrouillée.

- Je suis détective, dis-je. Je voudrais quelques renseignements.

Elle resta à me dévisager pendant une minute interminable, puis avec effort, elle poussa le loquet de la porte et fit demi-tour.

10 - Entrez dans ce cas. (Puis elle geignit :) J'ai pas encore eu le temps de me débarbouiller. Les flics, hein ?

Je franchis la porte et remis le verrou. A gauche en entrant, un magnifique poste de radio bourdonnait vaguement dans un coin. C'était le seul meuble potable de la pièce. Il avait l'air 15 flambant neuf. Tout le reste n'était que bric-à-brac – vieux fauteuils Louis-Philippe crasseux. Je reconnus le frère du fauteuil à bascule que j'avais vu sur le perron ; un portique ouvrait sur une salle à manger où se dressait une table maculée... La porte battante donnait dans la cuisine souillée 20 d'empreintes de doigts...

La femme s'assit dans le fauteuil à bascule, se débarrassa de se pantoufles d'un coup de pied et me considéra. Je jetai un coup d'œil sur la radio, après quoi je m'assis au bout du divan. Elle m'avait vu regarder le poste et une lueur de cordialité affectée, faible comme un thé chinois, apparut sur ses traits et dans sa voix :

- Je n'ai plus que ça pour me tenir compagnie, dit-elle, puis elle eut un petit rire étouffé. (...)

Son ricanement était proche parent d'un gloussement d'alcoolique. En me carrant en arrière, je sentis sous mon séant quelque chose de dur que je ramenai à la lumière ; c'était un litre de gin vide. Nouveau gloussement.

Le détective annonce alors qu'il cherche...

- Une nommée Velma. (...) C'est au sujet d'un petit héritage. (...) L'argent aiguise la mémoire.

- La gnôle aussi, repartit la femme. Trouvez pas qu'il fait chaud aujourd'hui ? C'est vrai que vous êtes flic à ce que vous m'avez dit ?

Yeux sournois, visage tendu, figé. Dans les pantoufles d'homme les pieds étaient immobiles. Levant le cadavre, je le secouai et je le balançai de côté. Puis, cherchant sur ma hanche le flacon de bourbon premier choix que le portier nègre et moi nous avions à peine entamé, je le tins bien en évidence sur mon genou. Les yeux de la femme se figèrent en une expression incrédule. Et brusquement la méfiance s'insinua sur ses traits, à la façon d'un petit chat mais en moins folâtre.

- Vous n'êtes pas un poulet, dit-elle à mi-voix. Jamais un poulet n'a offert de la camelote de cette qualité-là. Qu'est-ce que vous mijotez ?

De nouveau, elle se moucha, dans un des plus sales mouchoirs que j'eusse jamais vu. Ses yeux restaient rivés à la bouteille. La méfiance luttait contre la soif et la soif l'emportait, comme toujours.

- Cette Velma dont je parlais faisait un numéro ; elle était chanteuse. Vous ne la connaîtriez pas, par hasard ? J'imagine que vous ne deviez pas aller souvent là-bas ?

Yeux couleur d'algues, toujours sur la bouteille. Langue sale lovée sur les lèvres. Soupir :

- Ah, mes enfants ! Ça c'est de la gnôle ! Qui que vous soyez je m'en fous ! Maniez-la avec précaution, jeune homme ! C'est pas le moment d'en foutre par terre.

Elle se leva et sortit de la pièce en se dandinant comme un canard. Quand elle réapparut, elle tenait à la main deux verres épais, d'une propreté douteuse.

- Pas de fantaisie. Nature, comme vous l'avez amené.

65 Je lui en versai une rasade qui m'aurait fait pousser des ailes. Elle s'en saisit avidement, l'avala comme un cachet d'aspirine et contempla la bouteille. Je remplis de nouveau son verre et m'en servis un plus modeste. Elle emporta le sien jusqu'au fauteuil à bascule ; ses yeux avaient déjà foncé de deux tons.

70 - Jeune homme, cette camelote-là, moi je l'étouffe sans douleur, dit-elle en s'asseyant. Elle ne sait pas ce qui lui arrive. De quoi qu'on parlait déjà ?

- D'une rousse du nom de Velma, qui travaillait dans votre cabaret de Central Avenue, dans le temps.

75 - Ouais.

Elle nettoya le second verre. Je m'approchai d'elle et je posai le flacon à sa portée, sur le rebord du fauteuil. Elle s'en saisit :

- Ouais !... Qui c'est que vous êtes, vous disiez ?

J'exhibai une carte de visite et la lui tendis. Elle la lut de la 80 langue et des lèvres, la laissa tomber sur une table voisine et mit son verre vide dessus.

- Ah, ah ! fit-elle. Monsieur fait dans le privé. C'est pas ça que vous m'aviez dit, jeune homme.

Elle me menaça du doigt en minaudant.

85 - Mais votre gnôle est le meilleur des passeports. Elle me dit que vous êtes un type régul. A la santé de la crapule !

Là-dessus, elle se servit un troisième verre et le fit disparaître.

Je m'assis et attendis en tripotant une cigarette. Ou bien elle savait quelque chose, ou bien elle ne savait rien. Si elle savait 90 quelque chose, ou bien elle me le dirait ou bien elle ne me le dirait pas. Ce n'était pas compliqué.

Raymond Chandler, *Adieu, ma jolie*, Gallimard, 1948.

Observons le texte

1. Le lieu de l'action. Quelle est l'impression générale qui se dégage de la description de la maison ? Relevez les termes qui justifient votre réponse.

2. Pourquoi Marlowe dit-il à la femme qu'il est détective ? Que craint-il ?

3. Montrez que c'est l'observation de la femme et des lieux qui amène le détective à sortir sa bouteille de bourbon.

4. La femme. Faites-en la description physique à l'aide du texte.

5. L'importance de l'alcool. Quels sont les sentiments de Jessie à l'apparition du flacon ? Relevez les termes qui marquent son intoxication.

6. Montrez que la méfiance de la femme n'a pas complètement disparu à la vue de la bouteille. Que cherche-t-elle à savoir ? Cela a-t-il une réelle importance pour elle ? Pourquoi ?

7. Le détective adopte une curieuse méthode d'interrogatoire. Précisez son comportement. Que veut-il faire ?

8. Qu'a de particulier la conclusion du policier ? Comment peut-on la définir ? Qu'indique-t-elle ?

Réfléchissons sur le style

1. A quel registre de langage appartient le vocabulaire de la femme ? Vous relèverez des phrases que vous transposerez en langage correct.

2. Relevez et expliquez les comparaisons.

3. Peut-on comparer ce texte avec celui de Frédéric Dard ? Y a-t-il des points communs au niveau du style ?

Exprimons-nous par écrit

Dans la description de la pièce (10 à 20) relevez les mots importants en ce qui concerne l'atmosphère. En changeant ces termes vous allez réaliser une ambiance totalement différente : un intérieur coquet, par exemple.

Documentons-nous

Votre professeur de sciences naturelles pourra peut-être vous aider à constituer un dossier sur l'alcoolisme (ses causes, ses manifestations, ses conséquences).

UN COMMISSAIRE PAS COMME LES AUTRES

Avec San Antonio, Frédéric Dard nous propose un personnage plus réaliste, qui, par la verdeur de son langage entre autres, se démarque du policier tel que vous l'avez découvert dans les textes précédents.

Au cours d'un combat truqué le boxeur qui devait être vaincu s'emporte et gagne le match. Peu après, on apprend que son manager s'est suicidé. Mais San Antonio et son collègue Pinaud, beau-frère de la victime, pensent plutôt à un crime et décident de mener une enquête officieuse. Ils apprennent qu'un dénommé Abel Dubœuf est venu après le combat menacer le boxeur. San Antonio décide d'en savoir plus long sur ce personnage et va interroger Mathieu-la-Vache, un petit truand recyclé dans les paris truqués !

Je m'éloigne avec Mathieu vers le fond du bar où se trouve une table judicieuse dans un renfoncement adéquat[1].

- Vous prenez un petit pastis ? s'informe Mathieu.

- D'ac...

5 - Deux spécials ! lance-t-il à la demeurée qui sert de valetaille, avec une voix bien timbrée et un solide mépris du pluriel des mots en *al*.

D'un commun accord, nous attendons d'être abreuvés pour entrer dans le vif du sujet. De toute façon, Mathieu ne peut que 10 me laisser l'initiative de la conversation. Il paraît inquiet.

Je goûte le pastis. En effet, c'est du spécial, il est épais comme une nuit de décembre et possède un agréable parfum.

- Alors, attaqué-je, cet agent de change, il fait relâche aujourd'hui ?

15 Mathieu se trouble.

- C'est-à-dire que je n'y vais pas tous les jours, vous comprenez ?

- Pardine...

Je joue à imprimer des ronds sur le marbre du guéridon en 20 utilisant le pied de mon verre comme tampon.

- Dis-moi, Mathieu, connais-tu un certain Abel ?

Il reste immobile, de l'hésitation plein le crâne. Son nez aplati pend comme une trompe d'éléphant et il semble embêté.

1. Adéquat : parfaitement adapté.

- Abel, se décide-t-il enfin, attendez, ça me dit quelque
25 chose...
- Je l'espère bien...
- Ça ne serait pas d'Abel Dubœuf que vous causez ?
- Possible, il est comment, ton Dubœuf à la mode ?
- Grand, costaud, avec les crins en brosse...
30 - La quarantaine ?
- Un poil de plus, mettons quarante-cinq carats pour faire le compte.
- Est-ce qu'il ne s'occuperait pas de... de boxe, mon grand ?
Mathieu fait la grimace.
35 - Je ne peux pas vous le dire... Je...
Je pose mon glass d'un geste si brusque que le pied casse net. Je tourne vers mon voisin de banquette un regard qui ferait fondre un réfrigérateur.
- Écoute, Mathieu, tu as beau travailler chez un agent de
40 change (et j'appuie sur le terme), n'oublie pas que tu as encore ton coulant de serviette à Poissy[2]. Quand on a un pedigree comme le tien, on tâche à faire plaisir à m'sieur l'agent chaque fois que l'occasion se présente, tu me comprends ?...
- Vous fâchez pas, proteste-t-il, un peu pâle.
45 Il ajoute :
- Je suis pas un saint, m'sieur le commissaire... Seulement, voyez-vous, j'ai jamais becqueté à la grande gamelle. Je demande pas mieux que de vous rendre service, mais...
- Arrête, Mathieu, tu vas me faire chialer et j'ai oublié mon
50 mouchoir ! Quand tu te mets à jacter sur ta conscience, y a comme de la Marseillaise dans l'air... Je te demande deux choses, primo : où peut-on rencontrer cet Abel ? Deuxio, mais c'est la question subsidiaire : s'occupe-t-il de boxe ?
Mathieu fait claquer ses doigts. La fille au regard éteint a dû
55 potasser[3] l'alphabet sourd-muet sur les pages illustrées du Larousse car elle rapporte des pastis sans que Mathieu ait proféré un seul mot.
Mon compagnon se masse le naze.
- M'est avis, fait-il, que Dubœuf drague dans un bar, avenue
60 Junot... Vous dire lequel, je m'en rappelle plus... Maintenant, pour ce qui est de la boxe, c'est possible qu'il s'en occupe...

---

2. Poissy : il s'agit de la prison centrale près de Paris.

3. Potasser : étudier avec ardeur.

Ce disant, il a l'air aussi franc qu'un monsieur rentrant chez lui à minuit couvert de rouge à lèvres.

- Ce que tu es plus sympathique, Mathieu, quand tu laisses ta 65 conscience dans le porte-parapluies !

Il n'a même pas le courage de sourire. Je sors de l'auber de ma vague pour douiller l'orgie anisée, mais il étend un bras décidé :

- Laissez, m'sieur le commissaire, je suis ici dans mon fief...

70 Je rengaine mon bel argent sans insister. Ça le vexerait, avec les hommes donneurs, il faut se méfier.

Frédéric Dard, *Ça tourne au vinaigre*, Fleuve Noir.

Comprenons le texte

1. Quelle est l'attitude du policier ? Qu'a-t-elle d'original ? Comparez-la avec celle des autres policiers que vous connaissez.

2. Comment se comporte le truand ? Quels sentiments éprouve-t-il ?

3. La vie quotidienne. Relevez les détails qui montrent le réalisme.

4. Pourquoi Mathieu donne-t-il les renseignements espérés ? A-t-il vraiment tout dit ?

Étudions attentivement le langage

Relevez les termes argotiques du texte et essayez de donner une « traduction ».

Le commissaire emploie des comparaisons imagées : retrouvez-les et expliquez-les.

Les jeux de mots. Dressez-en la liste. Quels sont ceux qui vous ont amusés ?

Exercez-vous à en trouver d'autres, si possible originaux !

« Deux spécials », dit Mathieu. Rappelez la règle des pluriels en *al* évoquée par le commissaire ; rectifiez la faute.

Vérifiez le sens du mot *pedigree* dans un dictionnaire. Il est employé ici de façon impropre. Que devrait-on dire ? Employez ce mot dans une phrase où il aura son véritable sens. Vous ferez de même pour le mot *judicieuse* dans la première phrase.

Exerçons-nous

Transposez une partie du texte (du début jusqu'à « que vous causez ») en langage correct, puis en langage recherché.

Imaginez que Mathieu raconte la scène à un ami. Parallèlement, San Antonio met au courant son collègue Pinaud.

CONCLUSION

Ces quelques extraits vous auront peut-être donné envie de lire intégralement certains de ces romans.

Mais pourquoi ne pas essayer, à votre tour, d'écrire, en groupe par exemple, un roman policier ?

Il faudra d'abord lire d'autres romans qui vous permettront de compléter vos connaissances sur ce genre. Vous vous rendrez vite compte que toutes les intrigues policières peuvent, avec certaines variations, se résumer à l'un des deux schémas suivants :

Découverte du crime-énigme.
Enquête - hypothèses vérifiées ou fausses.
Conclusion - découverte et punition du coupable.

ou

Narration du crime avec identification du criminel ou de la bande. (Pas d'énigme.)
Lutte, souvent sanglante, entre le criminel ou la bande avec la police. (Fuite, bagarres, actions diverses.)
Punition : arrestation ou mort du ou des criminels qui demeurent rarement impunis.

Dans le premier schéma, domine la solution intellectuelle de l'*énigme*. Dans le deuxième, l'*action*. Volontairement, cette brève présentation s'est limitée au premier genre, plus classique. A partir de cette analyse, vous vous exercerez à imaginer par exemple le plan d'un roman dont vous rédigerez, peut-être en groupes, certaines parties : la description du policier, un interrogatoire, une déduction à partir d'un indice, à votre choix.

Vous pourrez lire avec profit *Les 13 coupables* de Simenon. Il s'agit d'une série de nouvelles. Vous établirez le plan de certaines d'entre elles et vous développerez une des parties, pour en faire un chapitre de roman policier.

Reprenez certains des extraits et essayez de réécrire un ou plusieurs paragraphes « à la manière de... ».

Maintenant, vous voilà mûrs (pourquoi pas ?) pour la création personnelle. A vos plumes ! Peut-être y a-t-il parmi vous un futur Maurice Leblanc !...

IMPRIMERIE AUBIN, 86240 LIGUGÉ. D.L., février 1985. — Éd. 7375. — Impr., L 19607